"Domaine français"

© ACTES SUD, 2016
ISBN 978-2-330-06649-9

© LEMÉAC ÉDITEUR, 2016
pour la publication en langue française au Canada
ISBN 978-2-7609-1294-6

LAURENT GAUDÉ

Écoutez nos défaites

roman

ACTES SUD/LEMÉAC

R
Gaudé

W000622

Pour Alexandra

Quand tu entendras, à l'heure de minuit,
une troupe invisible passer avec des musiques
exquises et des voix, ne pleure pas vainement ta
Fortune qui déserte enfin, tes œuvres échouées,
tes projets qui tous s'avérèrent illusoires. Comme
un homme courageux qui serait prêt depuis
longtemps, salue Alexandrie qui s'en va. Surtout
ne commets pas cette faute : ne dis pas que ton
ouïe t'a trompé ou que ce n'était qu'un songe.
Dédaigne cette vaine espérance… Approche-toi
de la fenêtre d'un pas ferme, comme un homme
courageux qui serait prêt depuis longtemps ; tu
te le dois, ayant été jugé digne d'une telle ville…
Ému, mais sans t'abandonner aux prières et
aux supplications des lâches, prends un dernier
plaisir à écouter les sons des instruments exquis
de la troupe divine, et salue Alexandrie que tu
perds.

CONSTANTIN CAVAFY,
"Les dieux désertent Antoine",
traduction de Marguerite Yourcenar,
in *Poèmes*, Poésie/Gallimard.

I
ZURICH

Tout ce qui se dépose en nous, année après année, sans que l'on s'en aperçoive : des visages qu'on pensait oubliés, des sensations, des idées que l'on était sûr d'avoir fixées durablement, puis qui disparaissent, reviennent, disparaissent à nouveau, signe qu'au-delà de la conscience quelque chose vit en nous qui nous échappe mais nous transforme, tout ce qui bouge là, avance obscurément, année après année, souterrainement, jusqu'à remonter un jour et nous saisir d'effroi presque, parce qu'il devient évident que le temps a passé et qu'on ne sait pas s'il sera possible de vivre avec tous ces mots, toutes ces scènes vécues, éprouvées, qui finissent par vous charger comme on le dirait d'un navire. Peut-être est-ce cela que l'on nomme sagesse : cet amas de tout, ciel d'Afrique, serments d'enfants, courses poursuites dans la médina de Tanger, visage de Shaveen, la combattante kurde aux lourdes tresses noires, tout, les noms utilisés, les rendez-vous pris, les hommes abattus et ceux protégés, je ne peux pas, moi, sagesse de quoi, cet amas vivant ne me sert pas à être plus clairvoyant, il ne me pèse pas non plus, non, c'est autre chose : il m'aspire. Je sens de plus en plus souvent mon esprit invité à explorer ce pays intérieur. La foule en colère sur la route entre Misrata et Syrte, la peur que j'essaie de contrôler mais qui monte en moi, le café blanc de Beyrouth, le bruit si particulier des armes lourdes dans les faubourgs de Benghazi au milieu d'une armée rebelle en débâcle, ces instants si nombreux où j'ai cru être perdu, l'ivresse ensuite, pour moi seul, d'être encore en vie, et personne pour le savoir, pour partager ce bonheur, tout cela, et les avions qui déchirent le ciel du Mali pour aller bombarder des positions que je viens de leur transmettre, la chaleur, les moments étranges de transit dans les aéroports, entre deux zones de guerre, où je déambule dans les duty free sans pouvoir rien acheter comme si cet univers-là, celui des cartouches de cigarettes sans taxe, des bouteilles de whisky en pyramide, n'était plus le mien. Tout cela est devenu un monde entier qui vit, se tord, fait resurgir parfois, au milieu de la nuit, une image : les gamins qui jouent à faire éclater les balles trouvées par terre dans les quartiers chiites de Beyrouth, la douceur d'une soirée dans les jardins de la résidence de l'ambassadeur à Bamako, tout cela m'invite comme s'il y avait dorénavant un autre monde possible, à explorer, à comprendre, celui que je porte en moi. Et je le sens aujourd'hui, tandis que je marche le long du quai en direction de Bellevue-platz : il y a en moi quelque chose de différent que je ne sais pas nommer, qui s'agrandit et m'aspire. Je sais que cela ne se voit pas encore. Je sais que, dans quelques heures, face à Auguste, je serai celui que j'ai toujours été : Assem Graïeb. Je porterai à nouveau ce nom qui n'est pas le mien mais auquel je me suis fait, Assem Graïeb, agent dans les services depuis plus de dix ans, Assem Graïeb, que les jeunes recrues, lorsqu'il m'arrive d'en croiser boulevard Mortier, à

Paris, lors d'une cérémonie officielle, regardent avec déférence parce que, sans savoir exactement ce que j'ai fait, ils connaissent la liste des terrains d'opérations où l'on m'a envoyé : Afghanistan, Sahel, Libye, Irak, et cela suffit à les impressionner. Assem Graïeb qu'ils appellent entre eux "un chasseur" et ils ont raison, j'ai mené tant d'opérations durant toutes ces années que je suis devenu un chasseur, tueur de la République qui traque sans cesse des hommes nouveaux. Pour eux tous, je serai celui-là encore, parce qu'à leurs yeux Assem Graïeb vit toujours, identique à lui-même, mais je sais, moi, que quelque chose grandit qui me change et s'ouvrira peut-être un jour comme une immense gueule intérieure – et qui sait alors ce que je ferai…

Lorsqu'il m'a demandé d'où j'étais et que j'ai répondu : "Irakienne", j'ai vu, dans son regard, qu'il connaissait mon pays. Il a pris ensuite un air étonné, a prononcé une phrase, une de celles que j'entends lorsque je décline ma nationalité : "Ce n'est pas trop dur…?", mais il l'a fait justement pour que cela paraisse anodin. Je l'ai senti. Dans son regard, juste avant, il connaissait mon pays et ce simple mot, "irakienne", avait suffi à le transporter là-bas. J'en suis sûre. Plus tard, dans la soirée, tandis que nous étions encore au bar, il est revenu sur le sujet et il a demandé : "Où, en Irak ?" J'ai dit : "Bagdad", et là encore j'ai vu qu'à la seule évocation du nom de ma ville, il partait là-bas en esprit. Il s'en est moins caché. Il a gardé le silence longtemps. Et je n'ai rien dit. Puis il a eu un sourire doux et j'ai su que nous monterions dans sa chambre, j'ai su que nous ferions l'amour.

Pas seulement à cause de Bagdad, mais parce qu'il acceptait de ne plus jouer à celui qui ne connaissait pas, parce que la seconde fois, il n'avait pas posé une de ces questions que l'on me pose si souvent : "Et tu retournes encore là-bas…?" Non. Il était juste resté avec les images de cette ville qui étaient en lui et il avait pris son temps. J'ai tout de suite su qu'il était militaire. Ou quelque chose comme ça. Je le lui ai dit. Là, au bar. Avant qu'il ne me prenne délicatement par la main, comme l'aurait fait un lycéen qui veut quitter le banc avec son amoureuse pour chercher un endroit plus discret. Dans cette salle d'où l'on voyait la Limmat couler, et où nous étions les derniers, je lui ai dit : "Militaire, n'est-ce pas?" Et il a ri. Il n'a pas nié. Il a même dit : "Ça se voit tant que ça…?" Puis une blague peut-être : "Il faut que je change de métier, alors…" J'ai su parce qu'il a accepté, durant toute la soirée, de ne rien dissimuler. Et je n'ai pas posé de questions auxquelles il n'aurait pu répondre. Il a souri lorsque j'ai dit "militaire". Il a pris le temps de penser aux paysages d'Irak qu'il a en lui lorsque j'ai dit "Bagdad". Il n'a pas menti. Alors je l'ai suivi, et nous sommes montés. J'ai trébuché, je crois, dans le couloir du troisième étage. La moquette épaisse a étouffé les bruits mais nous avons ri. J'avais beaucoup bu. Et lui aussi. J'ai dû mettre ma main devant ma bouche. Dans l'autre, j'avais une de mes chaussures. J'avançais de guingois et lui riait. Sa main, là, qui me tenait par la taille, je l'ai aimée d'emblée. Je ne sais pas depuis combien de temps je rencontre des hommes dans les bars des hôtels. À Paris. À Genève. À New York. Ce n'était pas le premier. J'ai commencé après ma séparation d'avec Marwan. Cela en surprend certains, parfois. Que je sois irakienne. Comme si cela empêchait le désir du corps et le "désespoir besoin d'aimer". Marwan aimait bien citer Éluard. C'est une des choses que j'ai gardées de lui. Et le goût du sexe, aussi, peut-être… Je me souviens, lorsque nous faisions l'amour, à Alexandrie, dans cet appartement qu'il louait, face à la mer, pressés de profiter de ces heures qu'il avait volées à sa vie, à sa femme, au Caire, au musée… Marwan que j'avais un peu pour moi toute seule, quelques heures par mois, ce qui faisait peut-être quelques jours par an… J'ai aimé ces instants-là. Je me croyais libre. La poésie, l'amour et les repas pris à des heures incongrues, dans la rue, sur une terrasse du port, à l'heure où les autres font la sieste ou boivent un café. J'ai aimé cela. Ensuite il y avait la solitude, toujours. Et l'attente. Jusqu'à ce qu'il me quitte. Cela m'a surprise. J'étais persuadée que c'était moi qui partirais. Je me souviens de ce jour-là : il était arrivé en retard, les sourcils froncés. Je n'ai pas vu tout de suite qu'il n'y aurait pas d'étreintes, de promenades amoureuses, qu'il n'y aurait qu'un échange sec, rapide, et que Marwan était venu, cette fois, pour repartir. C'est après, oui, sûrement, que j'ai commencé à dire oui aux hommes dans les hôtels.

L'air est frais et vivifiant. J'aurais dû marcher d'un pas vif, comme je l'ai fait si souvent en des occasions semblables. Je suis sur le point de retrouver Auguste, mon officier traitant. Il m'assignera une nouvelle mission. Tout va reprendre. Je serai Assem Graïeb ou un autre. Je serai français d'origine algérienne, ou tunisienne, ou libanaise. Mille vies, les unes après les autres, et le danger, toujours, pour les rendre intenses. Mais je marche lentement et ce qui me remplit l'esprit à cet instant, ce sont les petits cris d'excitation que ne pouvait s'empêcher de pousser le joueur d'échecs de Lindenhof. Pourquoi est-ce que je repense à lui? Je ne sais pas. Je l'ai regardé long-temps hier. Pendant plus d'une heure. Je suis resté assis sur un banc, face aux deux grands échiquiers que la municipalité de Zurich a installés dans ce jar-din qui domine la ville et d'où l'on voit, comme les soldats romains le voyaient déjà, couler la Limmat. J'ai regardé cet homme s'agiter en tous sens, conte-nant sa folie pour pouvoir jouer, ne pas perdre le fil de la partie. Je suis resté longtemps et j'ai fini par entendre son nom prononcé par les autres, ses adver-saires successifs, car il y en eut beaucoup, étudiants, notables, retraités, qui tous finissaient par laisser leur place, dépités d'avoir perdu si vite : Ferruccio, der Verrückte. Pendant des heures, oui, de façon hyp-notique, j'ai scruté ses mouvements d'épaules, ses grimaces de bouche, la façon qu'il avait de hausser les sourcils et de se pencher comme si on lui avait porté soudainement un coup au bas-ventre. Il était fou, Ferruccio, et ne tenait pas en place, faisait de grands pas le long du damier au sol ou tripotait les pièces de bois, hautes jusqu'aux genoux, comme s'il dirigeait une armée vivante. Ferruccio, c'est lui que j'entends tandis que je marche. Et je pense aussi à la chambre d'hôtel que je viens de laisser derrière moi, baignée d'une belle lumière du matin, avec le lit aux draps défaits, cette chambre qu'elle a quittée avant moi. Et ce n'est que maintenant, le long de la Limmat, approchant du dernier pont avant le lac, que je me souviens de lui avoir donné rendez-vous là, à Bellevueplatz, cet endroit où je dois retrouver

Auguste pour qu'il me présente à un homme des services américains, mais une heure avant, et je ne parviens pas à savoir pourquoi j'ai fait cela, pourquoi ce rendez-vous. Ferruccio, dans mon esprit, continue d'aller et venir, de tourner, mangeant les pièces de ses adversaires et poussant de petits cris aigus, sans que l'on sache s'il redoute davantage la défaite ou la solitude qui suivra la victoire, lorsque le notable ou l'étudiant, dépité comme les précédents, s'éloignera avec un geste d'impuissance, lui reconnaissant d'être le plus fort et le laissant là, invaincu mais seul. Il joue bien, très bien. Il est vif et clairvoyant, mais il a toujours, sur le visage, une anxiété qui lui tord les traits, comme s'il était désolé de gagner, comme s'il espérait qu'on le batte enfin et que cela apaise les tics qui le rongent et fasse taire le fracas intérieur qu'il essaie de contenir. À moins que ce qu'il espère vraiment soit une partie qui ne finisse jamais, quelque chose qui l'occupe tout entier, alors enfin le monde serait congédié et il serait soulagé, lui, le fou. Ne resteraient que les pièces du jeu, les diagonales, les coups d'avance, les pièges, les sacrifices, l'intelligence pure, et Ferruccio der Verrückte, celui qui joue la chemise débraillée, torse nu parfois, celui qui porte une barbe hirsute et se parle à lui-même en s'insultant, n'existerait plus. Il ne resterait que l'intensité de cette chose qui se construit à deux, qui n'a plus rien à voir avec un combat, mais plutôt avec la recherche d'une forme de perfection, comme une trouvaille scientifique : la partie infinie, celle pour laquelle le jeu a été conçu. Je repense à Mariam que j'ai rencontrée hier, à la nuit que nous avons passée ensemble dans l'accord tacite que personne ne demanderait à l'autre qui il est vraiment, ce qui l'occupe et quelle est sa vie, nous contentant l'un et l'autre de nos deux prénoms, Assem et Mariam, et de nos deux corps. Pourquoi lui ai-je donné rendez-vous ce matin ? Je me souviens de l'épaisseur de ses cheveux noirs, lisses, qui brillaient dans la pénombre. Je me souviens de ses lèvres qui avaient parlé avec gourmandise lorsque nous étions au bar puis qui s'étaient entrouvertes, plus tard, avec volupté, laissant s'échapper, dans cette chambre qui donnait sur les eaux calmes du fleuve, un soupir de ravissement – moment pur qui rachetait tout : les errements, les fatigues. Ses lèvres entrouvertes pour laisser passer le souffle, heureux, immédiat, de la jouissance des corps et l'oubli de l'esprit. Et surtout, je me souviens maintenant de ce que j'ai senti en moi et que je dois bien appeler une timidité, nouvelle, étrange. Cette hésitation à l'instant de me déshabiller, l'a-t-elle vue ? Il m'a semblé que non. Ou plutôt qu'elle l'acceptait, qu'elle voyait sur mon corps les fêlures, les accrocs, mais que cela ne la surprenait pas. Elle faisait avec, comme elle faisait avec les doutes et les fatigues de l'esprit. Nous nous sommes approchés l'un de l'autre sans gêne, mais avec égards. Et c'est peut-être cela, au fond, qui m'a poussé à lui donner rendez-vous ce matin. Je ne vois rien d'autre. Alors, Ferruccio, le fou de la place des Tilleuls, rit de moi car lui seul a compris que quelque chose était né qui m'emmènerait bien au-delà des terres où la France m'envoie depuis dix ans, tuant ou protégeant des hommes sans que j'aie jamais pu dire si nous gagnions ou perdions car il faut toujours recommencer, il y a toujours de nouveaux terrains d'action et de nouveaux ennemis à abattre, toujours de nouvelles zones d'influence à maintenir ou de nouveaux points stratégiques à contrôler, et Ferruccio rit parce qu'il sait, lui, que lorsque l'obscurité tombe, lorsque le dernier adversaire est battu, le pire commence, car c'est le moment où il faut accepter de retourner à ses propres tics et à ses tourments.

Il entend, de loin, le bruit de l'hélicoptère sans pouvoir dire s'il vient d'au-delà des montagnes ou du fond de sa mémoire. Le bruit des pales enfle jusqu'à tout recouvrir. L'air lui bat le visage. Il pense, à cet instant, à tous les hélicoptères qu'il a pris, tous ces vols, de jour, de nuit… Il entend celui qui approche et tant pis s'il ne peut ouvrir les yeux, il sait que son arrivée écartera de lui la menace, les coups, que l'appareil le couvrira d'une ombre protectrice. Mais peut-être ne l'atteindra-t-il jamais ? Peut-être arrivera-t-il trop tard ou sera-t-il obligé de repartir, incapable de se poser dans cette ville hostile, dessinant une grande courbe dans le ciel et reprenant le large ? Peu importe. L'idée même qu'il est venu, qu'un appareil a été envoyé pour venir le chercher, le réconforte et l'emplit de paix. Il pense à tous les hélicoptères dont il s'est extrait en sautant, la nuit, sur des collines de pays lointains, à l'approche de maisons qu'ils allaient violer, lui et les hommes qui l'accompagnaient, défonçant des portes, écartant sans ménagement des femmes ensommeillées qui criaient de stupeur, se faisant sourds à tout ce qui les entourait, les visages, les cris, les suppliques, cherchant dans la nuit un homme qui finissait toujours par se livrer, toutes ces fois où il a été la main qui frappe. Il se souvient de tous ces vols de nuit où il était rapace, silencieux, nyctalope, surgissant dans des vies qui ne s'y attendaient pas et disparaissant avant que personne n'ait pu véritablement réagir. Il en a tant pris, des hélicoptères. Et il entend celui-ci sans parvenir à dire s'il s'approche vraiment, jusqu'au moment où surgit cette voix, "Sullivan…?", qui répète sans cesse son nom, "Sullivan…?", et qui ajoute quelques phrases qu'il connaît pour les avoir prononcées sur d'autres terres, à d'autres moments, lorsque c'était lui qui venait secourir des corps en souffrance, ces phrases pour dire qu'il faut tenir, que tout va bien se passer, qu'on va le ramener au pays, ces phrases pour souligner la nécessité de s'accrocher… À quoi a-t-il envie de s'accrocher, lui ? "Sullivan…?" Et ce nom, toujours, qu'on lui lance, comme si on ne voulait pas le laisser fermer les yeux, comme s'il n'avait pas le droit de renoncer. "Sullivan…?", et alors il finit par dire "oui", pas avec sa bouche – non, cela, il ne le peut plus –, pas de façon articulée et audible, il n'en a plus la force, il dit "oui" en son esprit et immédiatement s'en veut, comme s'il avait cédé à la facilité, comme s'il n'avait pas été à la hauteur de cet instant où il aurait pu rester dans ce village en feu et y mourir, mais c'est trop tard, en son âme il dit "oui", et les bras l'emmènent, le portent, le traînent jusqu'à l'hélicoptère qui lui fait promesse, avec le bruit sourd de son moteur et la force de ses pales, de l'extraire de ce lieu qui aurait dû être sa tombe.

À l'hôtel Zum Storchen, avec cet homme qui m'a dit qu'il s'appelait Assem, quelque chose était différent. Au milieu de la nuit, je me suis réveillée. J'étais bien. J'ai laissé la douceur de la chambre m'entourer. Je croyais qu'il dormait à mes côtés. Je me trompais.

Il a dû sentir au mouvement de mon corps que je m'étais éveillée. Sans bouger, avec une voix douce, il m'a demandé de lui parler de mon métier, de lui raconter une histoire d'archéologue. J'ai pensé à Mariette Pacha. À cause de la statue de Bès, sûrement. Est-ce que j'avais déjà décidé, à ce moment, de ce que j'en ferais? Je ne crois pas. Mais Mariette Pacha est entré dans la chambre et j'ai senti qu'Assem écoutait avec avidité. J'ai raconté ce jour, à Abydos, où l'archéologue français désigna à ses ouvriers un endroit où creuser. J'ai raconté comment les hommes creusèrent et furent sidérés de trouver des vestiges. Et j'ai raconté, dans cette nuit calme, heureuse comme un répit inattendu dans nos vies, qu'un ouvrier a demandé à Mariette comment il avait su que c'était là. Et Mariette Pacha de répondre : "J'ai su parce que j'ai trois mille ans…" Assem a écouté. Il n'a pas ri. D'habitude, lorsque je raconte cette anecdote, les gens rient, prenant cela pour un bon mot. Lui, non. Il n'a pas ri parce qu'il est comme moi : il sait que c'est vrai. Et il a demandé qui était Mariette Pacha. Alors j'ai raconté un peu l'histoire de ce pionnier, inventeur de l'archéologie moderne. J'ai raconté la découverte du Sérapéum. "C'est quoi, le Sérapéum?" J'ai expliqué que c'était un tombeau pour les taureaux Apis. Cela l'a intrigué. "Les taureaux Apis…?" Alors j'ai détaillé : les prêtres qui désignent un taureau sacré, à la robe noire, avec un triangle inversé blanc sur le front. J'ai raconté la longue procession de la bête sur le Nil et, partout, sur les berges, les hommes qui se prosternent. J'ai raconté, à la mort de chaque taureau Apis, les soixante-dix jours de deuil, l'embaumement de la bête, sa sépulture dans ce temple où tous les taureaux se succèdent, génération après génération, et les prêtres, déjà, qui repartent à la recherche de la réincarnation de celui qui vient de mourir. "Tout cela pour un taureau?" a-t-il dit, avec admiration. Oui. Et Mariette Pacha qui découvre le lieu. Le premier. Sans savoir encore qu'après cela, sa vie ne sera plus jamais la même et qu'il sera lié pour toujours à l'Égypte, lui, le petit Boulonnais qui finira pacha, enterré dans le musée de Boulaq. La difficulté des fouilles. L'attente de l'obtention du fameux firman qui permet de creuser et le jour, enfin, où ils peuvent ouvrir la porte qu'ils ont réussi à dégager du sable. J'ai raconté la colonne de vapeur bleue qui sort de la porte ouverte, "comme de la bouche d'un volcan", dit Mariette dans ses écrits. Pendant quatre heures, la tombe se vide de cet air prisonnier depuis des siècles. Je vois Assem fermer les yeux, imaginer ce spectacle. Plus loin, dans la chambre mortuaire, Mariette découvre non seulement les sarcophages des taureaux, mais là, sur le sol, la forme d'un pied dans la poussière. Le dernier prêtre qui s'est retiré avant de fermer la porte. La forme de son pied, figée dans la poussière, immobile pour trente siècles. Et ce qui était fragile, ce qui aurait dû être effacé au premier coup de vent a survécu à tout, aux guerres, aux famines, aux déclins des civilisations, aux convulsions du monde. Je lui raconte cela. Et je sais à l'intensité de son silence qu'il pense comme moi, que c'est à la fois extraordinaire et qu'il y a là, dans le fait d'ouvrir cette porte, de laisser cet air s'échapper et la trace disparaître, une forme de violation qui donne envie de pleurer. À la fin, lorsque je me suis tue, j'ai cru qu'il allait garder le silence, un peu gêné, parce que j'avais peut-être trop parlé, parce que c'était étrange de convoquer ainsi Mariette Pacha et les taureaux sacrés d'Égypte alors que nous étions nus, côte à côte, mais il n'y a pas eu de gêne. Il s'est tu quelque temps, comme pour laisser vivre encore un peu les images du lointain, les berges du Nil, la foule qui se prosterne, la bête choisie qui entre dans le temple – puis il a pris la parole à son tour. Il a juste prononcé quelques vers. Je me souviens. C'est là, je crois, que j'ai su ce que j'allais faire. Il a dit : "Corps, souviens-toi, non seulement de l'ardeur avec laquelle tu fus aimé, non seulement des lits sur lesquels tu t'es étendu, mais de ces désirs qui brillaient pour toi dans les yeux et tremblaient sur les lèvres…" C'était sa façon à lui de répondre aux taureaux Apis, de m'offrir quelque chose à son tour. Il a ajouté le nom du poète : Cavafy. J'ai pleuré, doucement. C'était comme s'il avait deviné. Marwan. Alexandrie. C'était comme s'il savait pour la maladie qui est en moi et la fatigue, parfois, de cette vie de combat. Alors, j'ai pleuré, oui, et il n'a pas essayé de me réconforter, il savait que c'était mieux ainsi, que pleurer me lavait de quelque chose dont je ne pouvais parler. "Corps, souviens-toi, non seulement de l'ardeur avec laquelle tu fus aimé…" J'ai su alors que j'allais aimer cet homme, j'ai su que les mots de Cavafy, il me les donnait, pressentant – par je ne sais quelle clairvoyance – qu'ils me faisaient du bien, alors j'ai su que c'était à lui que je donnerais la statue de Bès que j'ai depuis si longtemps, sans le dire à personne, car à cet instant j'avais rencontré quelqu'un qui, comme moi, avait trois mille ans.

Est-il possible que le 12 avril 1861 à 4 h 30 du matin ait été l'instant de sa résurrection ? Est-il possible que lorsque le jeune Beauregard, général des armées confédérées, a donné l'ordre à son artillerie de tirer sur Fort Sumter, dans lequel Robert Anderson s'était retranché avec ses soldats de l'Union, ce moment précis qui contient tant de morts, même si personne ne périra lors des trente-quatre heures qui suivront, trente-quatre heures de pilonnage pour réduire à néant le fort, trente-quatre heures pour que le Sud dise sa sécession profonde, joyeuse, ce moment de l'affranchissement et du défi, incarné dans le face-à-face entre le jeune Beauregard et celui qui fut son maître instructeur à West Point, Robert Anderson qui, quelques années auparavant, avait été si saisi par les talents du jeune sudiste qu'il lui avait proposé de devenir son assistant, est-il possible que cet instant de feu, où la pierre éclate, cette grande éructation de plaisir soit pour lui, Ulysses S. Grant, un moment de résurrection ? Il le sent. Il lit et relit l'article de ce petit journal de l'Illinois que son père a laissé sur la table dans cette odeur de teinturerie trop forte et il sait qu'une chance lui est offerte. Trente-quatre heures de tirs et, au bout, le drapeau blanc hissé par Anderson et le sourire du jeune Beauregard, les acclamations de toute la population du Sud. Fort Sumter est tombé. Et le Mississippi, la Louisiane, la Caroline du Sud dansent de joie. Ce président fraîchement élu du nom de Lincoln, que personne ne connaît, ne sera pas le leur. Que le Nord se le garde ! Ulysses Grant lit et relit l'article pour simplement éprouver la gifle. Car c'est bien cela qu'a fait Beauregard avec ses artilleurs : il a giflé Lincoln et tout Washington avec. Il a giflé le vieux général Scott, héros des guerres mexicaines, et tous les Yankees. Ulysses Grant voudrait boire. Cela lui ferait du bien. Même s'il est 10 heures du matin. Cela ne l'a jamais empêché de boire. Jusqu'à s'effondrer, même. Il ne tient pas l'alcool, ne l'a jamais tenu. Mais est-ce que ce n'est pas justement pour cela qu'on boit ? Se faire sauter le caisson à coups de scotch. Il aimerait beaucoup, là, boire un verre ou deux, pour que sa main cesse de trembler, et pour apaiser la brûlure de l'humiliation. Mais il sait qu'il ne le fera pas. Car les artilleurs de Beauregard viennent de le libérer. Une épave. Voilà ce qu'il a été jusqu'à présent. Un homme aux mille vies ratées. L'alcool l'a obligé à quitter l'armée. Que pouvait-il faire ? Rester dans ce poste isolé du Nord de la Californie où les jours semblaient prendre plaisir à le torturer avec lenteur et où il n'y avait rien d'autre à faire que regarder la course des nuages dans le ciel et boire en se souvenant de la peur éprouvée à Molino del Rey ? Il a essayé. Sept vies. Fermier. Agent immobilier. Marchand de bois de chauffe. Une épave. Il ne pouvait pas. La bouteille valait toujours mieux. Il a toujours cru qu'il serait condamné à cela : la haine de lui-même, le spectacle de sa médiocrité en permanence sous les yeux, la honte devant le regard de sa femme qui voit qu'elle devra élever ses quatre enfants seule, et il l'aime pour cela, pour sa résilience, mais ce n'est pas assez pour éloigner la bouteille. Seuls les obus de Fort Sumter peuvent faire cela. Il le sent tout de suite. Il a attendu si longtemps. Comme c'est doux… Jamais gifle n'a été plus douce. Alors il relit encore l'article, jusqu'à ce que le rouge lui monte aux joues. Il essaie d'imaginer Robert Anderson, tête basse, sortant des décombres avec ses hommes et les cris de joie partout qui font sourire de contentement Beauregard. Cela, oui, est assez fort pour qu'il se passe de boire. Cela, il le sent, balaiera la teinturerie de son père où il est revenu travailler faute de mieux, les jours de dépression, les souvenirs pénibles de Chapultepec. Il va devenir un guerrier à nouveau et c'est tant mieux car peut-être n'est-il véritablement lui-même qu'en uniforme. Jusqu'à son nom que l'armée a modifié par erreur, Ulysses S. Grant, qu'il préfère à son vrai nom, Hiram Ulysses Grant, parce que, celui-ci, c'est le nom des vies ratées, des métiers où il ne gagne pas un sou, le nom de la bouteille qui roule au pied d'une chaise sur laquelle il s'est endormi, c'est le nom du regard de sa femme, sans reproche mais déçue, c'est le nom d'une vie longue qui va l'éreinter, alors oui, Ulysses S. Grant, pour toujours, il préfère. Et que Beauregard sourie là où il est. Que Jefferson Davis fasse toutes les déclarations qu'il veut, que la Virginie hésite encore, puis rejoigne le camp des sécessionnistes, c'est bien, il a besoin de gifles. Seule la colère le sauvera de l'ennui. Et il sent là que la chute de Fort Sumter est une chance, une de celles qui ne se présentent qu'une fois dans l'existence et qui va le sauver du désastre.

Aujourd'hui, il faut se résoudre à mourir. Et pourtant, tout est beau... Son armée prend possession de la colline qui domine la plaine de Maichew. C'est une foule immense, menée par les princes d'Éthiopie, tous, comme lui, descendants des héros d'Adoua, les glorieux guerriers qui avaient vaincu l'Italie : Menelik II, Taytu Beytul, Mengesha Yohannes... Il n'est pas un guerrier qui n'y pense tandis qu'ils se pressent dans cette cohorte multicolore. Ils invoquent l'esprit de leurs aïeux, espèrent être aussi valeureux qu'eux. Ils se frappent le torse, s'encouragent, cheveux en bataille, barbe hirsute. Ils ont tressé leurs cheveux, se sont couverts de bijoux. Ils avancent, habillés de couleurs vives. Aucun ne porte d'uniforme. Ils sont armés de fer, de fusils parfois, de couteaux. Ils laissent monter la rage de la guerre et ils espèrent encore qu'aujourd'hui sera leur grande victoire. Hailé Sélassié contemple la foule qui continue d'arriver. Depuis des mois, tout converge jusqu'à ce lieu et ce jour. C'est comme si toutes ses actions depuis le début de la guerre n'avaient eu d'autre but que d'aboutir à cette bataille. C'est pour arriver à ce moment qu'il a lancé, le 3 octobre dernier à 11 heures, l'appel à la mobilisation générale depuis les marches de son palais, au son du kitet, et que partout, dans le pays, les batteries de tambours ont annoncé la guerre. C'est pour ce moment qu'une foule épaisse, spontanée de guerriers, hommes de tout âge, a convergé vers Addis Abeba. Depuis la toute première attaque des Italiens, à Walwal, c'est déjà cette grande bataille finale qui se préparait. Mussolini veut sa revanche. Il n'a envoyé ce corps expéditionnaire sous commandement du maréchal Badoglio que pour laver l'affront d'Adoua et reprendre l'Éthiopie. Aujourd'hui, tout est prêt. La foule de ses guerriers s'étale devant lui. Ils attendent un signe de sa part pour se ruer dans la plaine et dévorer l'ennemi. Lui se tient droit, entre Ras Desta et Ras Kassa. Il est calme. Il prend le temps de tout contempler. Bientôt ce sera la ruée et les coups. Bientôt le sang. Il se répète à lui-même une dernière fois ce nom, Maichew. Il ne s'adresse pas à ceux qui l'entourent car, ce qu'il pense, il ne peut le dire à personne : qu'ici, à Maichew, ils sont venus pour mourir.

Je me suis assis à Bellevueplatz, sous le kiosque en béton où a été construit un banc filant sur lequel peuvent s'asseoir ceux qui attendent le tram les jours de pluie ou ceux qui, comme moi, voudraient rester là et contempler le va-et-vient de la rue. Je bois doucement le café que j'ai pris à emporter dans le bar qui est à côté de la guérite où l'on vend les billets. Les trams se croisent, s'arrêtent, repartent, le numéro 5, le numéro 7… Ils passent et glissent sans cesse. Ceux qui vont longer le lac, ceux qui traversent le pont… Des hommes et des femmes descendent. La ville s'agite. Chacun va à sa vie : faire des courses, aller chercher les enfants, retrouver un ami… Je ne fais plus tout à fait partie de cette vie-là, moi. Où vont-ils, tous, avec cet air décidé ? Parviennent-ils à croire à cette vie, à y être pleinement ? Il y a quelque chose en moi qui s'en détache. C'est imperceptible mais je le sens. Je sais que je ne devrais penser qu'à mon rendez-vous avec Auguste, être tout entier dans cette concentration, mais je n'y parviens pas. Il m'expliquera bientôt où je vais partir. Nous boirons tranquillement un ristret' et Auguste me donnera un certain nombre d'informations. Je n'arrive pas à penser à cela. Je revois les cheveux épais de Mariam qui brillaient dans la nuit. Je revois ses épaules nues et la douceur de ses mains. Je continue à laisser passer les trams. Le café refroidit doucement dans le petit gobelet en carton que je tiens au creux de la main. Est-ce le signe que je vieillis ? Là, cette faille imperceptible qui me détache des choses, qui me rend moins tendu, moins aiguisé, et me fait de plus en plus souvent observer le monde comme s'il s'agissait d'une scène de théâtre. Est-ce que je n'ai pas donné rendez-vous à cette femme uniquement pour me laisser la possibilité qu'il se passe quelque chose avant mon rendez-vous avec Auguste, avant que la République française ne s'empare à nouveau de moi, ne me confie un nouveau nom, une mission, un terrain d'opérations ? Est-ce que c'est cela que je veux ? Retarder le moment où un homme qui est mon supérieur, que je connais depuis des années mais que j'appelle toujours par ce nom, Auguste, tout en sachant très bien que ce n'est pas le sien, me donnera une enveloppe qui contiendra, comme elles contiennent toutes depuis dix ans, des billets d'avion, un contact dans une ville lointaine et des recommandations précises. Je me demande si c'est cela que j'espérais cette nuit, lorsque j'ai dit à Mariam que je serais à Bellevueplatz à 10 heures : échapper à ce que je suis.

Vivante. Il m'a rendue vivante. Cela faisait longtemps que je ne m'étais pas sentie ainsi. Alors lorsqu'il m'a donné rendez-vous à Bellevueplatz, à 10 heures, je n'ai rien répondu mais j'ai su d'emblée que j'irais. Une fois sortie de l'hôtel, j'ai marché dans l'air frais de la ville qui commençait à s'agiter. J'ai traversé le pont de Bellevue et j'ai longé ensuite les quais sur la rive est. L'air donnait envie de respirer à pleins poumons. Vivante. Oui. Malgré la maladie tapie en moi, cette maladie dont on m'a parlé en regardant des analyses de sang, avec un air sérieux, concentré, cette maladie qui imposait des analyses plus approfondies, qui faisait baisser la voix des médecins, qui nécessitait un spécialiste et certains protocoles, cette maladie que j'ai vue enfin, sur une radio qu'on a brandie devant moi. Mais là encore, c'était abstrait. Comment croire que cette tache opaque puisse avoir la moindre incidence sur ma vie ? Comment croire même que ce qui était sur cette radio, plaquée sur un tableau éclairé, ait quoi que ce soit à voir avec moi ? Souvent, maintenant, j'essaie de m'écouter. Le soir. Je respire moins fort, je tends l'oreille dans l'espoir de sentir de l'intérieur ce corps ennemi qui me ronge et se nourrit de mes forces pour grandir. Lui, avec le plaisir qu'il m'a donné et l'intensité de l'écoute qu'il m'a accordée lorsque je parlais du Sérapéum et de Mariette Pacha, il m'a fait oublier mon ennemi intérieur. Ce n'est pas pour cela que je vais au rendez-vous, ce n'est pas par gratitude, ni par désir, c'est parce que j'ai vu ses failles. Il ne s'est pas caché. Un homme penché au bord d'un gouffre. J'ai senti qu'il allait disparaître et il m'a semblé qu'il devait y avoir quelqu'un pour le voir se quitter à lui-même. Il part, je le sens, pour des lieux dont on ne revient pas, ou tellement changé qu'il est impossible de dire si on en revient réellement. Je monte dans ce tram et ce n'est pas pour le paquet que j'ai glissé dans son sac avant l'aube, lorsqu'il dormait encore. Il ne l'a sûrement pas encore découvert. Je monte dans le tram mais je ne lui dirai rien de la statue de Bès que j'ai glissée entre deux chemises au fond de sa valise, avec un petit mot, écrit à la lumière de l'aube, en essayant de ne pas faire de bruit. Peut-être ne comprendra-t-il pas ce que représente cette statue ? Peut-être ne nous recroiserons-nous jamais, mais je sais que c'est juste. La statue est faite pour être donnée. De main en main. De siècle en siècle.

La défaite, elle est là. Est-ce que les autres ne la voient pas ? La défaite bestiale, gourmande, sans appel. Ils ne pourront pas lui échapper. Est-ce qu'il est le seul à la sentir ? Les généraux se passent et se repassent une petite paire de jumelles, comptent et recomptent les troupes italiennes et les régiments d'Érythréens. On lui tend parfois la paire pour qu'il apprécie à son tour la situation, mais il ne le fait pas. Lui, leur empereur à tous, roi des rois, lui, Hailé Sélassié, il est sûr de la défaite mais à quoi bon le leur dire ? Il garde son calme légendaire, n'exprime rien, ni peur, ni hâte. Il est le temps qui ne s'émeut pas, l'œil qui voit ce qui sera. Ses hommes le contemplent, petit, dans cet uniforme impeccable qu'il est le seul à porter. Les autres, tous les autres, sont hirsutes, avec des couvertures sur les épaules, des bijoux autour du cou, aux oreilles, aux poignets, des couteaux à la ceinture. Il ne dit rien. Il était contre cette bataille. À quoi lui servirait de compter et recompter les effectifs ennemis ? Ils vont mourir aujourd'hui. Il le sait. Les Italiens sont moins nombreux mais Ras Desta et Ras Kassa ont tort de s'en réjouir, d'y voir un motif quelconque d'espoir quant à l'issue de la bataille. La seule chose certaine, c'est que les Italiens vont les écraser. Il le sait depuis le blocus qu'on lui a imposé et qu'il n'a pas su casser. Ni la France ni l'Angleterre n'ont cédé. Il a tout essayé mais en vain. Et aujourd'hui, il sait qu'il n'a pas d'armes. Un seul canon de 75 que le maréchal Franchet d'Espèrey lui a offert au nom de la France hypocrite le jour de son couronnement. Un seul canon. Et aucun avion de combat. Ses hommes sont braves, oui, mais ils vont à pied ou à dos de mule, alors ils vont perdre. Il a cru un temps que les armes qu'Hitler avait accepté de lui vendre suffiraient à casser le blocus, mais les fusils sont arrivés par petits lots dispersés et se sont perdus dans l'immensité du pays… Il n'a pas d'armement. La seule guerre qu'il aurait pu envisager et qui peut-être aurait mené à la victoire après des mois, des années d'épreuves, était une guérilla. Laisser l'ennemi entrer, prendre possession des lieux et le harceler ensuite, l'épuiser, le ruiner petit à petit dans une guerre du bout du monde qu'il finirait par abandonner parce qu'elle serait devenue trop chère. C'est cela qu'il aurait fallu faire. Mais il est Hailé Sélassié, roi des rois, prisonnier de lui-même, et il ne peut pas. Ses généraux le lui ont dit : "Un roi ne fait pas la guérilla comme un shifta*", et cela sonnait comme une gifle. Un roi fait la guerre. Et s'il doit la perdre, le mieux qui puisse lui arriver est de mourir sur le champ de bataille. C'est ce qui les attend, tous, ses gendres, ses guerriers, ses sujets rassemblés : mourir dans une dernière grande bataille. Un choc frontal, inutile et sanglant mais dont l'Histoire se souviendra. Il ne peut en être autrement. Alors peu importent les mouvements de troupe ennemis, le nombre d'avions que Mussolini va déployer dans le ciel d'Éthiopie, il sait que ce qu'il a à vivre, à présent, c'est le chaos et rien de plus.

Le tram glisse le long du fleuve. Je laisse la ville défiler sous mes yeux jusqu'à la Bellevueplatz. Lorsqu'il s'arrête, je ne descends pas. Pourquoi le ferais-je ? Je regarde par la vitre. Je le cherche. Il suffit que nous nous voyions, encore une fois. Il suffit qu'il ait le temps de me regarder, de voir que je suis venue, que j'ai compris qu'il fallait quelqu'un pour lui dire adieu

* Bandit.

aujourd'hui. Il suffit d'avoir ces quelques secondes qui font de notre rencontre, soudain, autre chose qu'une soirée de jouissance dans une chambre d'hôtel, autre chose que toutes ces nuits précédentes où j'embrassais des hommes que je n'ai plus jamais revus. Il suffit qu'il me voie. Je vais retourner à ma vie, avec mon travail au British Museum, mes rendez-vous à l'Unesco, mes expertises pour Interpol, ma vie d'archéologue qui court après une multitude d'objets volés. Je vais retourner à mes nuits de grande peur, à ces moments où je ne pourrai m'empêcher de penser à la maladie, à la tache qui va grossir, à la laideur de mon corps qui sera un jour en débâcle (quand ? dans un an, deux ans ?)… Je vais retourner à tout cela mais je sais que j'aurai une image à brandir qui me fera du bien, éloignera les terreurs et la mélancolie. J'aurai cet homme, sur la Bellevueplatz, l'image de cet homme, dans la fraîcheur du matin, et ce vers qu'il m'a offert comme s'il savait : "Corps, souviens-toi non seulement de l'ardeur avec laquelle tu fus aimé…"

Les minutes sont douces. Je pourrais rester ici toute la journée. Chaque tram qui s'arrête déverse une petite foule d'hommes et de femmes pressés qui descendent avec célérité. Pendant quelques secondes, ils m'entourent, puis se dissipent et le tram repart, jusqu'au prochain qui me replonge dans le bruit affairé des hommes. Je bois mon café lentement. Il ne me reste plus beaucoup de temps avant de me lever, de traverser la rue et de pénétrer dans l'établissement d'en face, où Auguste, sûrement, m'attend déjà avec la France, les ordres, les pays lointains et les noms d'hommes à abattre.

Et puis d'un coup, alors que je suis sur le point de me lever, là, devant moi, dans le tram, son visage à elle apparaît. Elle est derrière la vitre d'une des fenêtres et me contemple. Elle est venue pour cela, je le sens. Elle ne descendra pas. Elle va rester à l'arrière du tram, debout, face à la vitre. Je me lève, fais quelques pas dans sa direction, pourquoi, je ne sais pas... Puis le tram donne un premier coup pour repartir, avec ce petit son aigu pour que les piétons s'écartent des voies, sa main, alors, lentement, monte, esquisse un geste – mais lequel... ? – et nous nous regardons encore, jusqu'à ce que le tram disparaisse tout à fait. Elle n'est pas descendue. Pourquoi l'aurait-elle fait ? Pour aller boire un café ? Discuter ? Se heurter sans cesse sur ces vies que nous ne pouvons pas nous raconter parce que ce serait trop long, trop fastidieux, parce que le plaisir d'être ensemble se nourrit justement du fait d'échapper à tout cela ? Elle n'est venue que pour ce long regard échangé... Elle a compris que je ne pouvais pas donner davantage. Sa voix à elle, l'histoire des taureaux Apis, la longue colonne de fumée bleue qui sort pendant quatre heures de la bouche du tombeau, la beauté de son corps, tout m'emplit à nouveau. Adieu, elle est venue pour cela. Adieu, oui, elle le dit de la main, avec ce geste inachevé, ces deux grands yeux qui semblent avoir tout vu et ne plus rien craindre, adieu, je sais maintenant avec certitude que tout peut commencer.

Là, à cet instant précis, tout commence. Il le sent. Il voit ce soldat courir vers lui, dans l'allée centrale du campement, dépassant les tentes qui sont plantées ici depuis huit mois, et à son passage les soldats sortent, lèvent la tête, s'immobilisent. Tous sentent qu'il va se passer quelque chose, que la nouvelle qu'il apporte à Hannibal est d'importance. Lui reste immobile, prêt à la recevoir, cette nouvelle, au milieu des siens, ces hommes rugueux qui ont déjà battu les Olcades, les Vaccéens et les Carpétans en unifiant l'Hispanie, jusqu'à ce que finalement le messager parle : Sagonte est tombée. Ça y est : le siège de la ville s'achève. Huit mois de strangulation lente, patiente, pour arriver à ce jour. Tout commence maintenant. La traversée du détroit de Gibraltar n'était rien. La terre était si proche. Il n'y avait aucune frontière à passer et les navires ont accosté avec douceur. La traversée des Pyrénées ne sera rien non plus. Même si les montagnes sont hautes, il y a des cols qu'ils trouveront. Ils s'aideront des peuplades locales ou, si elles sont réticentes, ils leur brûleront les pieds jusqu'à ce qu'ils parlent. Non, c'est avec la chute de Sagonte que tout commence. Et Rome, peut-être, ne le sait pas encore. Rome qui a été si peu pressée de venir secourir cette cité alliée. Rome qui ne se méfie pas de cet homme parce qu'elle ne connaît que le nom du père, Hamilcar, qui est venu jusqu'en Sicile faire des raids de pirate, mais elle va apprendre le nom des fils : Hannibal, Hasdrubal et Magon. Elle va les apprendre en pleurant, en tremblant, en se réveillant la nuit, et elle finira par comprendre qu'elle a grand besoin d'alliés et que c'était une erreur de ne pas porter secours à Sagonte… Mais pour l'heure, elle ne sait rien. Seul Hannibal reçoit la nouvelle : Sagonte est tombée. La marche peut commencer. Il va laisser Hasdrubal régner sur l'Hispanie et il passera les Pyrénées. Les soldats, tout autour de lui, hurlent de joie. Et les peuples, partout, ne tarderont pas à savoir que Sagonte n'a pas pu compter sur l'aide de Rome. Les alliances se déferont alors. C'est cela qu'il faut : que Rome soit seule face à eux et alors ils la mangeront. Les soldats maintenant se regroupent et l'entourent. Ils sont une foule compacte. Les frondeurs des Baléares qui vont le torse noué de lanières de cuir, les cavaliers numides, les plus fous, les plus braves, les fantassins ibères qu'il a su rallier à son armée, les Libyens qui manient la cetra le sourire aux lèvres, tous l'acclament, dans leur langue, avec leur joie épaisse d'égorgeurs. Pour la première fois, ils sentent que le jeune homme qui est face à eux et à qui ils ont promis d'obéir n'est pas un petit chef de guerre mais un conquérant, que ce à quoi il leur sera donné de participer n'est pas une série de razzias de mercenaires mais une page d'Histoire, parce qu'elle se fait ainsi, l'Histoire – qui peut en douter ? –, l'arme au poing, en groupes serrés autour de trois frères. Et ce qu'ils sentent peut-être à cet instant, c'est le souffle d'Alexandre le Grand car, comme lui et son armée, ils savent qu'ils vont partir sur des routes infinies, entreprendre des conquêtes que personne n'aurait pu imaginer avant eux, alors ils l'acclament : Hannibal... Hannibal... Ils sentent que c'est l'Histoire qui les traverse, morts ou vivants, glorieux ou fracturés. Ils sentent qu'ils vont se mettre en marche, Hannibal... Hannibal... et que le monde ne sera plus jamais le même...

L'hélicoptère s'éloigne de Kalafgan. À l'intérieur, les soldats s'agitent et parlent sans cesse. Il voudrait leur demander de se taire. Il les entend dire que son pouls faiblit, qu'il perd beaucoup de sang. Il les entend évoquer la blessure à sa jambe et son visage déformé par les coups. Il les sent qui le manipulent. Il ne saurait décrire avec précision s'il est encore allongé à même le sol de l'hélicoptère ou s'ils l'ont hissé sur un brancard, comme il ne saurait dire s'ils lui ont déjà piqué le bras pour lui passer des doses qui soulageront sa douleur et calmeront son corps. Il sent le contact chaud et épais de son propre sang. Dans son cou. Sur sa jambe. Il voudrait leur dire de le laisser et de se taire, non pas qu'il ait envie de mourir, il sent qu'il vivra, c'est ainsi, il n'en éprouve ni soulagement ni déception, il vivra, mais il voudrait avoir encore le temps d'entendre les femmes qui pleurent comme pleurent les mères endeuillées depuis des siècles, avec des hoquets puissants dans la gorge au-delà de toute parole, redevenues animales, boule de chair que l'on vient d'amputer d'une part de soi. Il veut tendre l'oreille et entendre ce chant car il lui semble que c'est à lui de résonner. C'est lui qui devrait s'élever dans le ciel et couvrir le bruit des pales, et il sait que plus les secondes passent, plus les femmes s'éloignent. Elles doivent être petites, déjà, lointaines, presque invisibles, pleurant toujours, mais pour personne d'autre qu'elles-mêmes, sur ces enfants qu'elles ne retrouveront pas, qui jouaient quelques minutes auparavant dans la cour de cette école et gisent maintenant sous des gravats. Il voudrait entendre encore leurs voix et laisser peut-être aux hommes de Kalafgan la possibilité de jeter des pierres, de tirer, même, s'ils ont des armes, et tant pis si cela doit endommager l'hélicoptère ou le détruire, tant pis si cela veut dire mourir ici, c'est ce qui serait le plus juste… Il y a dans la facilité de cet éloignement quelque chose qui le révulse. Il veut encore le face-à-face avec les femmes et leur haine, pourquoi pas… Les coups, les crachats, tout est si loin déjà, et ne réapparaîtra jamais – cette scène-là, telle qu'il l'a vue il y a encore quelques minutes, disparaît, les flammes lentement s'éteignent, les pierres refroidissent, les gravats sont retournés, creusés, et les morceaux de corps retrouvés et ensevelis pieusement. Les femmes, bientôt, ne pleureront plus que dans leur nuit. Cette scène s'éloigne, est déjà quasiment effacée, et lui reste là, avec son corps meurtri, le sang qui lui colle au pantalon, les yeux bouffis par les coups qu'il a reçus, les lèvres fendues. Comme c'est étrange… Il y a quelques minutes encore, il courait dans les ruelles de Kalafgan, se protégeait le visage de ses bras pour tenter de parer des coups, et les voix qui l'entouraient semblaient ne jamais devoir le laisser s'échapper. Et maintenant tout est loin. Il se souvient de la seconde où tout en lui a capitulé, où le sang dans son œil, dans sa bouche n'avait plus d'importance. Il se souvient de l'instant où il avait accepté de mourir, et il le faisait sans haine, à cause des pleurs des femmes, probablement, ou parce qu'il a trop souvent tué pour ne pas reconnaître à l'ennemi le droit de lui prendre la vie. Il se souvient de cet instant et pourtant les hommes qui l'entourent répètent ce nom dont il pensait ne plus avoir besoin : "Sullivan?", alors il se réfugie en un point inatteignable, là où savoir s'il saigne ou pas n'a plus d'importance, là où savoir s'il retrouvera l'exercice de sa jambe ou pas ne l'inquiète plus, un point au-dessus de tout où l'hélicoptère vole dans les airs gracieusement et où le chant des femmes en pleurs a encore le temps de résonner parce que c'est la seule chose, à cet instant, que le monde doit entendre : le deuil des mères vaincues.

II

ARGOS

"Es-tu prêt à partir ?" Il n'avait pas entendu la voix de son oncle depuis longtemps. Le souvenir remonte d'un coup, comme s'il avait été tapi là, dans un coin de sa mémoire, n'attendant que le jour et l'occasion de resurgir, comme si, surtout, toutes ces phrases du passé avaient décidé de se rappeler à lui sous la forme d'une énigme à laquelle, pour l'instant, il ne comprenait rien, mais dont il sentait qu'elle allait l'emmener au point où tout homme vacille sur ses propres certitudes. Le taxi roule doucement en direction de l'aéroport Charles-de-Gaulle. Le ciel est clair. Il regarde la ville qu'il va quitter défiler sous ses yeux. "Es-tu prêt à partir ?" Il se souvient du jour où cette question lui a été posée. C'était la veille de sa première mission. Son oncle l'avait invité à dîner. Ils avaient parlé poésie et politique. Le vieil homme avait cet air malicieux lorsqu'il parlait des convulsions du monde, comme si, à l'inverse des autres qui n'y voyaient que chaos, il parvenait, lui, à lire dans ces sursauts, ces tragédies, ces tensions internationales, un sens. Et puis, au dessert, au milieu de cette salle de restaurant un peu vide, il lui avait posé cette question. Assem d'abord y avait répondu benoîtement, d'un "oui" franc. Le vieil homme alors avait pris son temps. Ce n'était pas de cela qu'il parlait. "Te souviens-tu d'Agamemnon?" avait-il demandé. Et Assem entend encore sa voix comme si son vieil oncle était assis à ses côtés, dans le taxi qui prend maintenant l'autoroute A1 et roule plus vite en direction du nord. Comment se fait-il qu'il s'en souvienne aujourd'hui soudainement, avec une telle acuité? Si on lui avait demandé hier s'il se rappelait le moindre mot de cette conversation d'il y a dix ans, dans ce petit restaurant du 14ᵉ arrondissement, avec son oncle, il aurait probablement dit non, et ce matin tout lui revient avec précision. Où étaient cachées ces images, ces scènes? Dans quel endroit de la mémoire, inaccessible d'abord puis resurgissant avec la netteté d'un événement récent? Le vieil homme avait parlé de Mycènes. Oui. Il se souvient. C'est comme si sa mémoire se dépliait maintenant, au fur et à mesure qu'il s'y plongeait. "Tout le monde connaît la guerre de Troie mais c'est à croire que personne n'y a réfléchi vraiment… Que nous dit le mythe?" Il avait laissé son oncle parler et le vieil homme avait pris son temps. Il avait évoqué ces journées longues, sans vent. Le regard des Achéens, impatients, inquiets. Les jours passaient et le vent ne se levait pas. Il devenait évident que c'étaient les dieux qui leur refusaient le départ. Chaque matin, à Mycènes, des hommes se pressaient tout en haut de la ville, près des murs du palais, au point le plus haut, scrutant les monts alentour, essayant de sentir sur leur visage la moindre brise, mais rien… La tension montait. Que voulaient les dieux? Et puis, il y eut le sacrifice d'Iphigénie. Agamemnon qui emmène sa fille à l'autel et elle, stupéfiant l'assemblée des guerriers, qui s'immole de sa propre main.

Le vent, quelques instants plus tard, comme une réponse des cieux, le vent qui descend des monts et fait claquer les drapeaux. Le vieux parlait avec exaltation. Il s'en souvient. Et il n'y avait plus personne dans le restaurant, ils étaient seuls tous les deux, avec Mycènes. Les Achéens hurlaient de joie. Les Achéens se préparaient à monter sur leurs navires. Tous les hommes convergeaient vers la plaine d'Argos. La ville de Mycènes se vidait dans une grande procession. On fêtait le départ. Bientôt, les guerriers reviendraient couverts d'or. Bientôt, l'honneur de Ménélas serait lavé. "Tu entends ce que dit le mythe?" La voix de son oncle, il donnerait cher pour qu'elle résonne à ses côtés. Cet homme qu'il a tant aimé et qui l'a élevé. Il n'avait rien su répondre, alors le vieux professeur à Sciences Po avait poursuivi. Ce que disait le mythe, c'est qu'avant même de toucher la terre d'Asie Mineure, avant même d'apercevoir les murailles d'Ilion, Agamemnon avait perdu. Il avait dû tuer sa fille. Quelle victoire valait cela? Même s'il parvenait à raser Troie, même s'il écrasait ses ennemis et régnait pour des siècles, est-ce qu'il n'était pas d'emblée vaincu? "Es-tu prêt à partir?" C'est cela que lui demande son oncle. Et il comprend mieux maintenant. On ne peut partir au combat avec l'espoir de revenir intact. "Souviens-toi de Mycènes…" Au départ, déjà, il y a le sang et le deuil. Au départ, déjà, il faut accepter l'idée d'être amputé de ce qui vous est le plus cher. Au départ, déjà, la certitude qu'il n'y aura aucune victoire pleine et joyeuse. Il repense au vent maintenant, à l'arrière de son taxi. Au vent de Mycènes qui est synonyme de mort. Il repense à ces guerriers qui sont montés dans leur navire, impatients d'en découdre, sans s'apercevoir que quelque chose était déjà perdu derrière eux. Son oncle avait raison. Il l'a éprouvé si souvent. À chaque mission, il a laissé un peu de lui-même. Alors il se demande, là, à l'arrière de son taxi, quelle sera cette fois la part qu'il devra donner au vent.

Elle est arrivée à Paris le matin même. Elle a de plus en plus envie de quitter Londres et de s'installer ici. Elle devra continuer à faire des allers-retours entre le British Museum et l'Unesco, mais elle voudrait essayer. Peut-être en souvenir des conversations qu'elle avait avec Marwan…

Lorsqu'elle arrive dans son petit bureau de l'Unesco, elle sait déjà qu'elle n'y restera pas. Dans deux jours, elle doit être à Bagdad. Le président irakien a décidé de la réouverture du Musée national, fermé depuis des années. C'est un signe fort. Montrer que l'Irak se relève et se réapproprie son histoire. La directrice de l'Unesco sera du voyage et elle doit l'accompagner. Elle n'aura pas le temps de profiter de Paris, pas le temps non plus de repenser à son séjour à Zurich et à l'homme qu'elle y a rencontré. Sa vie est faite ainsi, rapide, dense, souffle court. Elle se sent portée par l'enthousiasme : le musée va rouvrir. Cela fait des années qu'elle traque les objets volés de par le monde. C'est un travail patient, têtu, qu'elle a mené avec rage. Elle se souvient encore du jour où elle a assisté, impuissante, au sac du musée. C'était en 2003, lorsque les Américains étaient rentrés dans Bagdad. Elle était toute jeune alors et le pillage avait eu lieu sous ses yeux et sous ceux de tous ses camarades étudiants en histoire. Ils n'avaient rien pu faire. Les Américains n'avaient pas bougé, laissant les voleurs aller et venir, tout casser, tout dévaliser. Sa vocation est peut-être née là, dans ces heures de rage où elle et ses camarades contemplaient les allées et venues des pilleurs. Pas sa vocation d'archéologue, mais celle de chercheuse d'objets volés. Elle essaie de se souvenir maintenant des centaines d'heures qu'elle a passées depuis à chercher la trace de ces mosaïques, ces statues, ces vases dérobés. Chaque fois qu'un aéroport en trouvait dans les valises d'un collectionneur, c'était elle qu'on appelait pour l'expertiser. Un long combat de douze ans. Mais dans quelques jours, elle sera récompensée : le Musée national va rouvrir et les objets seront à nouveau à leur place.

Qui tire le premier coup de feu ? Personne ne le sait mais ils l'ont tous entendu. Là. Sur des kilomètres. Le tout premier coup de feu de ce qui va être une énorme boucherie. À 5 heures du matin, en ce jour où un pays va en tuer un autre... Hailé Sélassié a donné l'ordre d'attaquer et les Italiens se réveillent dans l'urgence. Une phrase court de bouche en bouche : "Ça y est... Ils attaquent..." Et dans une heure, peut-être, l'information sera parvenue jusqu'au maréchal Badoglio lui-même. Un aide de camp le réveillera avec le plus de dignité possible : "Maréchal..." dira-t-il en gardant le regard droit pour que ses yeux ne tombent pas sur les chairs flasques qui apparaissent entre les boutons ouverts du pyjama, "maréchal... La bataille est engagée." Le premier coup de feu et, déjà, des milliers d'hommes courent dans la plaine. Il est à l'arrière, lui, se tient droit dans son uniforme européen. Il ira jusqu'au bout. Il apportera du renfort à Ras Kassa s'il le faut.

Mais pour l'heure, il faut attendre, laisser le temps aux guerriers de courir, de s'approcher des lignes ennemies. La clameur monte jusqu'à lui. Il voudrait courir avec eux, les sentir tout autour de lui, et partager leur sueur.

Dans l'aérogare de Roissy, Assem Graïeb repense à la réunion qu'il a eue avec Auguste à Zurich, et à l'homme des services américains qui était avec eux : Dan Kovac. Il se souvient de la phrase avec laquelle la discussion a débuté. "Nous avons un souci avec un de nos hommes", a dit Kovac. Puis il a sorti une enveloppe et exhibé des photos. Sullivan Sicoh. Quarante et un ans. Ancien Seal Team 6. Un homme de MacRogan. "C'est une photo qui a été prise deux jours avant son départ pour une mission dans le Nord de l'Afghanistan… Ça s'est mal passé là-bas. Il est revenu en mille morceaux…" a expliqué Dan Kovac. Assem a regardé calmement le visage de Sullivan Sicoh sans rien dire.

Sullivan entre dans le restaurant. Il arrive parmi les derniers et les amis hurlent de joie lorsqu'il apparaît – comme ils l'ont fait chaque fois qu'un d'entre eux arrivait. Ils lui tendent un verre et il boit. Dans deux jours, il part pour Kalafgan mais il ne connaît pas encore ce nom, ne sait pas que ce sera celui de sa blessure. Tout juste sait-il qu'on l'envoie dans la région de Kunduz au Nord de l'Afghanistan. Est-ce qu'il boirait davantage s'il savait qu'il va échapper de justesse à la mort ? Il écoute les blagues qu'on lui lance, y répond. Il sourit, tape dans les mains, fait des accolades, prend sa place sur le banc du fond et se laisse submerger par le bruit de ses camarades qui ne fêtent peut-être rien d'autre que le fait d'être en vie, et cela lui va, alors il boit lui aussi, autant que les autres et même davantage. Plus tard, lorsque tout le monde est arrivé, lorsqu'ils sont serrés au maximum sur cette table initialement prévue pour huit mais autour de laquelle ils doivent bien être douze, un d'entre eux demande au patron du restaurant de prendre une photo, comme pour avoir la preuve qu'à cet instant, ils sont bien tous en vie. Des hommes entre trente et quarante ans, au corps fort, plein de sang-froid, qui ont tué, qui ont eu peur, qui savent plonger dans le silence de l'action mais qui à cette heure précise ont envie de rire et de s'étourdir. Il sent qu'on le serre à droite et à gauche, qu'on pose une main sur son épaule – il faut que tout le monde tienne sur la photo. Il sourit, il croit sourire, mais ignore qu'il ne le fait pas.

Assem regarde la photo longuement. Il en a connu tant, des hommes comme celui-là : physique impressionnant, visage sympathique même avec un fusil d'assaut entre les mains. Parmi les photos, celle du repas attire son attention : Sicoh est là au milieu des autres. Tous lèvent leur verre. On imagine les blagues un peu lourdes, les tapes dans le dos, les faits d'armes mille fois racontés. Lui ne rit pas. Il fixe l'objectif avec une profondeur étrange dans le regard.

Ce qu'on ne verra pas sur la photo, c'est le divorce qui vient d'être prononcé. Ce qu'on ne verra pas, c'est sa dernière visite dans la maison où il a vécu quinze ans et dont il est sorti par la porte arrière, hagard, épuisé, ne sachant pas lui-même s'il était détruit ou soulagé. Ce qu'on ne verra pas sur la photo, c'est le village de Kalafgan qui l'attend avec les mères à genoux, son corps frappé, traîné dans la poussière, sauvé in extremis par l'arrivée de l'hélicoptère. Ce qu'on ne verra pas sur la photo, c'est la certitude qui naît en lui pendant le dîner, au milieu des rires un peu forcés de ses camarades, qu'il ne sera pas un soldat divorcé de plus, attendant patiemment son tour pour voir son fils, organisant un barbecue le dimanche pour essayer de faire en sorte que les temps passés avec son enfant soient toujours une fête et voyant dans le regard de ce dernier que ce barbecue est pathétique. Ce qu'on ne verra pas sur la photo, c'est ce qui a disparu. Les camarades autour de lui hurlent, chantent. Il n'est plus possible de parler. Cela n'a pas d'importance. Il n'est pas venu pour parler. Et même lorsque les plus véhéments se seront calmés, même lorsque ce sera l'heure des conversations plus calmes, par petits groupes, avec les cigarettes qu'on se tend sur le trottoir en prenant un peu l'air, il ne dira rien, ne parlera à personne de son divorce, non pas qu'il ait honte ou veuille cacher quoi que ce soit, mais parce qu'il n'est déjà plus cet homme-là. Peut-être sent-il à cet instant que Kalafgan l'attend et que ce lieu va l'aider à laisser mourir l'homme qu'il a été.

Dans le hall de l'aéroport, Assem se souvient de la voix de Dan Kovac lorsque ce dernier lui a montré la photo. Il a expliqué que Sullivan Sicoh avait disparu. Il ne donnait plus signe de vie à personne.

Sa femme, divorcée, n'avait pas l'air pressée d'avoir de ses nouvelles. Les Américains savaient qu'il était à Beyrouth. Et Kovac a alors sorti une autre photo. "Voici la seule photo récente que nous ayons de lui. Elle date de trois mois", a-t-il dit. Dessus, un homme barbu qui n'avait plus rien du gars du Michigan aux mains épaisses et au sourire large. On aurait dit le gourou d'une secte ou un prisonnier en cavale. Il traversait une rue. Il avait maigri, s'était laissé pousser les cheveux et la barbe. Ses yeux nerveux scrutaient avec inquiétude l'autre trottoir. Dan Kovac s'est mis à parler. Il avait l'air gêné. Il a expliqué que la situation était un peu embarrassante pour eux. Que Sullivan Sicoh s'était mis à faire différents trafics avec différentes personnes. Des objets d'art volés sur les sites archéologiques. Des armes aussi… Il a dit qu'ils avaient besoin de savoir dans quel état d'esprit il était réellement. Assem se souvient parfaitement de cette expression. "Dans quel état d'esprit il est vraiment…" Et puis Kovac a ajouté : "C'est un homme des unités d'élite. Il était à Abbottabad en 2011. C'est un gars solide. Et qui sait beaucoup de choses…" Le silence est retombé. Assem a alors essayé d'imaginer cet homme lors du fameux assaut qui avait mené à la mort de Ben Laden. Il s'est laissé traverser par des images de l'assaut d'Abbottabad : les hélicoptères qui attaquent de nuit, les trois coups de feu sur le chef d'Al-Qaida, puis l'exfiltration… Il a fallu qu'Auguste pose la question, demande explicitement ce que les Américains attendaient de leurs homologues français pour que Dan Kovac finisse par lâcher : "Nous vous serions très reconnaissants si vous pouviez l'approcher et… l'évaluer." Assem a relevé la tête, surpris. L'évaluer ? Ce n'est pas pour cela qu'on l'utilise d'habitude. Le rendez-vous prenait un tour qui le surprenait et il a alors demandé pourquoi ils ne s'adressaient pas plutôt aux Anglais. Kovac a répondu, en le regardant droit dans les yeux, que Beyrouth était une zone que les Français maîtrisaient mieux et surtout que Sicoh se méfierait davantage d'un Anglais. Et puis il a ajouté qu'il s'en remettait à son discernement. Il s'agissait simplement de savoir si Sicoh était "récupérable".

"Et s'il ne l'est pas ?" a demandé Auguste.

L'Américain a marqué un temps.

"Alors, nous vous serions très reconnaissants d'organiser sa neutralisation."

Il se souvient parfaitement de cet instant. La phrase résonne encore en lui. C'est vers cela qu'il va. Les gens qui l'entourent dans cette aérogare l'ignorent mais il est en chasse. Autour de lui, des familles attendent que l'embarquement soit ouvert pour se mettre en file, billets à la main, des hommes d'affaires tapent sur leurs tablettes avec urgence. Il s'est assis un peu à l'écart pour pouvoir se concentrer. Il se souvient parfaitement du moment où la mort de cet homme a été évoquée. Ensuite, comme pour se justifier, Kovac a pris un air désolé et a poursuivi.

"Sullivan a été sur beaucoup de sites du Moyen-Orient… Si ses trafics se limitent à des objets d'art, nous sommes prêts à passer l'éponge, mais il faut que nous soyons sûrs de son état d'esprit. Personne, à l'Agence, n'a très envie qu'il se mette à rédiger ses Mémoires, si vous voyez ce que je veux dire…"

Il est maintenant sur le point de s'embarquer pour Beyrouth avec cette mission : approcher un homme qui a tout quitté du jour au lendemain, parler avec lui, le renifler de près pour savoir ensuite s'il faut le condamner à mort ou s'il peut être récupéré. Et là, sur la banquette de l'aéroport, au milieu des hommes et des femmes qui traînent leurs valises, un peu esseulés, dans ce temps en suspens, il se demande s'ils feront cela, un jour, avec lui. Il essaie d'imaginer Auguste contactant des services amis, l'air contrit… Est-ce qu'un jour, dans un café de Vienne ou d'ailleurs, Auguste donnera une photo de lui en disant à son interlocuteur : "Nous avons un souci avec Assem Graïeb…" ?

"Ont-ils vu les éléphants ?" Hannibal pose la question pour la troisième fois et les hommes autour de lui hésitent – oui, ils les ont vus, il était impossible de ne pas les voir, mais ils ne savent pas si cette réponse va déclencher la colère de leur chef ou au contraire le faire sourire. Alors ils gardent le silence et baissent la tête. Puis enfin un cavalier numide se redresse bien droit sur son cheval et dit : "Oui, Hannibal, ils les ont vus."

Hannibal contemple le Rhône derrière lui et les corps qui jonchent le sol. Les premiers morts de l'Empire romain sont là, casques transpercés, mains encore crispées sur leur glaive ou sur leur plaie, le visage défiguré de douleur ou figé dans la stupeur. Il fait chaud. Le mois d'août pèse sur les rives du fleuve et fait danser les moustiques. La première bataille contre les Romains vient d'avoir lieu. Une escarmouche plus qu'une bataille, mais dorénavant Rome ne peut plus ignorer que les Barcides marchent sur elle. La nouvelle va se répandre. Les soldats qui se sont repliés vont raconter ce qu'ils ont vu. Ils parleront de cette armée où se mêlent Ibères, Gaulois et Numides. On les interrogera sur le nombre exact d'hommes de l'armée ennemie, sur la proportion de cavaliers et de fantassins. Et surtout, ils parleront des éléphants... Hannibal sourit. Les quarante éléphants qu'il amène avec lui vont grossir, devenir des monstres énormes, des bêtes avides de sang. Les récits vont se construire. Ils ne seront plus quarante mais quatre-vingts, cent... Et la peur va naître de partout. Oui, ils ont vu les éléphants. Et chaque jour qui passe dorénavant mine un peu plus le moral des Romains. Ils vont avoir peur, de plus en plus. Le temps va les éreinter, ce temps long de la marche. Les Alpes sont encore loin. Il y aura peut-être encore d'autres accrochages mais Hannibal n'est pas pressé. Il doit laisser la rumeur le devancer. Déjà, partout sur son chemin, les peuples l'ont laissé passer, n'osant s'opposer à cette armée jamais vue. Pourquoi l'auraient-ils fait ? Pour être loyaux envers Rome ? Non. Ils ont vu avec Sagonte où menait la loyauté envers Rome. Alors ils ont laissé Hannibal traverser leurs villages, leur territoire, ils les ont même nourris parfois et, devant la longue colonne des quarante éléphants chargés de paquets, d'armes et de boucliers, ils ont prié leurs dieux pour n'avoir jamais à combattre pareilles créatures et se sont dit que peut-être, si ces bêtes étaient aussi redoutables qu'elles le paraissaient, il leur serait donné de voir la chute de Rome.

"Colonel ?" On l'appelle d'une voix un peu peureuse. Il entend mais il ne peut pas répondre. "Colonel ?" Tout est trop loin. Son corps ne lui répond plus. Il essaie d'étendre sa main pour prendre appui sur la table mais il lui semble que cette main se joue de lui et il tombe. Qu'est-ce qu'il croyait? Qu'il suffisait de quitter l'Illinois et la teinturerie paternelle, comme il l'a fait dix jours à peine après la chute de Fort Sumter, pour qu'une nouvelle vie recommence? Qu'il lui suffirait de remettre son uniforme pour être lavé de ce qu'il est? Que faire le recruteur, comme il le fait depuis des semaines, allait gommer la honte et chasser les démons?

Il garde les yeux fermés. Le monde qui l'entoure est plongé dans l'obscurité. Ne reste plus que cette voix. "Colonel…?" Il est ivre mort. Est-ce que cela ne se voit pas? Le jeune homme qui vient d'ouvrir la porte de la baraque devrait cesser de prendre des précautions, aller chercher une bassine d'eau et la lui renverser sur le visage ou le laisser là où il est, cuver sa tristesse, mais qu'on le laisse en paix! Oui, il a bu. Deux bouteilles entières. Cela les valait bien. Il vient d'apprendre qu'à Bull Run, l'armée de l'Union s'est fait humilier. Ils étaient pourtant si nombreux. Le général McDowell est un incapable. Et Beauregard a dû sourire à nouveau comme il avait souri à Fort Sumter. Les imbéciles… Ils ont été à la guerre comme on va à la parade… Les sudistes n'ont pas fait la même erreur. Ils savent qu'ils ne peuvent pas se payer ce luxe. Les Virginiens de Thomas Jackson sont venus pour se battre, eux, et ils ont tenu. C'est ainsi que les Yankees auraient dû y aller, avec la conviction profonde qu'il n'y a pas de défaite possible. Le pays des pères fondateurs ne peut pas être divisé. Honte à eux s'ils laissent faire la sécession. Honte à eux s'ils laissent l'esclavagisme prospérer. McDowell est un incapable. Il veut remporter de belles batailles mais ce n'est pas cela, la guerre. Il faut vaincre et c'est tout. Cela veut dire écraser la guerre elle-même et cela ne se fait que dans la brutalité. Les Virginiens viennent de leur donner une leçon. Ils se sont accrochés, avec rage. Ils ont tenu, jusqu'à ce que Beauregard lance la contre-attaque et que la déroute saisisse les rangs de l'Union. Il paraît que les dames de Washington, sûres de la victoire, étaient venues en calèche pour assister au spectacle, avec du poulet froid et des rafraîchissements. Elles ont dû se pisser dessus, les bécasses, maudissant leur propre curiosité, lorsque Jackson Stonewall a chargé avec ses troupes, enfonçant tout sur son passage, faisant reculer les Yankees dans la stupéfaction générale. Il pourrait admirer la volonté des sudistes. Il pourrait presque se réjouir de la déconfiture de McDowell, mais des gamins sont morts et ce qui a été foulé sur le champ de bataille, c'est l'abolition de l'esclavage et le sens de l'Histoire. Maudits soient les hommes qui ne prennent pas la guerre au sérieux. Oui, il a bu. Parce qu'il a pensé à ces jeunes gens morts en quelques minutes, pour rien, incrédules de voir que les balles sifflent pour de vrai et que les crânes explosent sous leur impact. "Colonel?" Il entend encore cette voix de jeune homme et il voudrait hurler qu'on lui foute la paix, dehors, ouste, qu'on le laisse à son ignominie, à l'ivrogne qu'il est… Il croyait qu'il suffirait d'annoncer à sa femme qu'il allait s'engager pour que tout reprenne mais il veut boire, encore, même s'il ne peut même plus se relever, il veut boire puisque l'armée nordiste a été mise en déroute, refluant par groupes épars, assommée, crasseuse de boue, laissant derrière elle les canons de Sherman, les cuisses froides de poulet, les nappes de pique-nique et les cris de victoire des confédérés.

Dans la plaine de Maichew, les Italiens se sont réveillés. En réponse aux premiers tirs, les premiers obus tombent et les premiers guerriers d'Hailé Sélassié meurent. Les Italiens n'ont aucune raison de paniquer. Ils ont construit un mur de terre sèche pour protéger leur ligne et ils laissent les Éthiopiens s'approcher. Le jour se lève doucement. La plaine sera bientôt couverte de sang. Les obus tombent avec régularité. C'est ainsi qu'ils vont les tuer, en les disloquant, les éparpillant en mille morceaux. La victoire triomphale des guerriers éthiopiens d'Adoua ne se rejouera pas. L'Italie veut sa vengeance. C'est même cela qu'elle est venue chercher. Et ils vont l'obtenir. Lui, Hailé Sélassié, quelle sera sa place dans l'Histoire ? Celle d'un empereur vaincu ? Le roi des rois tué par un tir d'obus ? Les combats sont engagés et le jour entier, désormais, ne sera plus consacré qu'à se tuer. Avancer. Crier pour se donner du courage et gémir lorsque la balle vous a traversé. Oh, comme la défaite est longue… Il faut la vivre totalement, jusqu'au bout, avec ces instants où l'on se prend à y croire encore, ces appels à l'aide auxquels on ne peut pas répondre, ces amis qui meurent, ces trouées superbes – le soleil parfois, la beauté des lieux… Comme c'est long… L'odeur de la poudre et du sang est partout. Et puis, le jour finit par décliner doucement, après treize heures de combat durant lesquelles les Éthiopiens se ruent, torse nu parfois, sur les mitrailleuses lourdes. Soixante-quinze tonnes d'explosifs les disloquent sans répit. L'Italie ne compte pas. Le Duce a été parfaitement clair : il veut une victoire éclatante et rapide. Après treize heures de combat, il l'a. Et le Négus ordonne le repli. Mais c'est alors que le pire survient. Car la défaite a soif encore. Les Italiens sortent de leur ligne et pourchassent l'ennemi. Hailé Sélassié voit la vague brutale qui court derrière ses hommes. Les avions survolent le champ de bataille et criblent de balles les fuyards. Le gaz brûle ceux qui voudraient courir. Tout explose et se tord. Ce n'est plus un repli, plus une débâcle, c'est un massacre. Ils sont anéantis. Et cela continue. "Nous ne pouvons rien faire", pense-t-il. Ses hommes, il les offre au carnage. Et puis enfin, avec l'obscurité qui tombe d'un coup, le ciel lui-même se met à tonner. Un orage éclate, puissant, effrayant. Les éclairs zèbrent le ciel et font apparaître, à chaque fois, une foule de gémissements. Les mourants sont là, à même le sol, sur le champ de bataille, dans la boue, raidis et froids ou continuant à râler, la bouche ouverte, surpris de cet air qui les tue sans qu'ils comprennent comment cela est possible, et la pluie tombe dru, comme si elle avait entrepris de tout noyer. Le ciel lui-même, peut-être, est dégoûté de ce qu'il voit. Des hommes retournent en arrière pour aller chercher leurs morts mais ne les trouvent pas et tâtonnent dans un océan de dépouilles. Tout est fini. Et les agonisants ouvrent grand les yeux pour entendre une dernière fois le tonnerre gronder et sentir encore un peu la fraîcheur de la pluie sur ces lèvres qu'ils auront bientôt froides.

Il entend les dents claquer tout autour de lui. Les hommes ont froid. Peut-il renoncer? Non. Il faut aller jusqu'au bout. Il serre les mâchoires. Son corps entier se raidit sur son cheval. Il tremble malgré les peaux de bête qu'il a sur le dos. Il voit certains de ses meilleurs cavaliers numides saisis par la fièvre, l'œil jaune, les lèvres blanches, qui s'accrochent encore mais vacillent et finiront par tomber sans que personne ne puisse rien pour eux. Ils mourront comme tant d'autres, là, sur le bord de ces sentiers de pierre au milieu des premières neiges, étonnés de finir ainsi, sur une terre froide, aussi loin de chez eux, sans avoir même livré bataille. Son armée fond sous la neige. Cela fait déjà dix jours qu'ils avancent, esquintant les sabots de leurs montures, abandonnant des éléphants malades derrière eux, se frayant un passage dans la brume des sommets. Les peuples, ici, les regardent passer en crachant par terre ou en leur jetant des pierres avant de caracoler dans des pistes invisibles. Peut-il renoncer, revenir en arrière ? Peut-il retourner à Carthage et remettre le pouvoir à Hannon, le vieil ennemi de la famille qui n'attend qu'une erreur, qu'une faiblesse pour reprendre la main et faire un pacte avec les Romains ? Les hommes meurent partout autour de lui. La morsure du froid ne leur laisse aucun répit. Chaque matin, ils font le compte de ceux qui sont morts dans la nuit, chaque matin, des bêtes, des chevaux, des mulets, des éléphants refusent de se lever et il faut les défaire de leurs paquets et sauver ce qui peut l'être. Il a vu des hommes râler à cheval, puis mourir et rester en selle, ainsi, comme gelés, jusqu'à ce que leur bête tombe dans le ravin. Il a vu des éléphants devenir fous de douleur et charger contre les hommes qui leur imposaient pareille torture, piétinant ceux qui auraient peut-être survécu, emmenant tout avec eux, leur rage, leur cornac, et des grappes d'hommes sidérés. La moitié de ses éléphants sont morts. Il n'en reste plus que vingt. D'après Magon, ils perdront quinze mille hommes avant d'arriver de l'autre côté des Alpes. Et Rome doit sourire de voir les montagnes user de la sorte ses ennemis, les faire maigrir, grelotter. Rome doit sourire parce que le froid les esquinte. Il entame Hannibal lui-même. Depuis quelques jours, il ne voit plus d'un œil. Tout s'est infecté et il sait que si la fièvre s'installe, elle l'emportera. Souvent, il lui semble que son cheval marche trop près du bord et va tomber, mais c'est parce qu'il ne voit plus. Il avance malgré tout. Si les montagnes doivent être son tombeau, qu'elles le prennent ainsi, à cheval, le regard tourné vers Rome. Il est fou peut-être d'avoir voulu passer par ici. Il est fou d'avoir condamné plus de quinze mille de ses propres hommes à la mort, d'avoir pensé qu'ils trouveraient des cols dans ces terres qu'ils ne connaissent pas et que les éléphants survivraient au vent froid des glaciers. Il est fou mais tant mieux, car c'est la folie qui fera la légende. Et tant pis s'il doit laisser un œil aux montagnes, tant pis si son armée doit fondre de moitié, s'ils passent, alors, ils seront terrifiants.

Les mille possibilités, hasards, carrefours, improbabilités qu'offre la vie, sans cesse. Et vivre, peut-être, n'est que cela : se frayer un chemin à travers les aléas. Elle pense à cet homme, Assem Graïeb. Ils se sont croisés le temps d'une nuit et ne se reverront probablement plus jamais. Chacun retourne à sa vie, à son hasard. Elle a retrouvé ce qu'elle est : son emploi du temps, son bureau, le voyage à Bagdad pour l'ouverture du musée, sa maladie aussi. Elle a retrouvé cette histoire-là, qui lui semble d'un coup pesante, ennuyeuse, comme si ce qu'Assem lui avait offert durant cette nuit, plus que le plaisir du corps, plus que le sourire et le charme, cela avait été l'oubli de soi. Elle n'était plus personne le temps d'une nuit. Juste un prénom, un sourire, un corps. Elle était au repos d'elle-même. Et maintenant, il faut revenir à soi. Elle s'affaire, ramasse ses dossiers, et puis, au moment où elle va quitter les locaux de l'Unesco, sa collègue Krystin entre dans son bureau, le visage livide.

"Mariam, tu as vu les infos?"

Elle ne répond pas, serre les lèvres, sent déjà que ce qui va lui être annoncé lui fera mal.

"Il faut que tu voies ça... Ils ont pris Mossoul..."

C'est comme une gifle. D'abord elle reste incrédule. Puis sa collègue l'amène devant une télévision et elles regardent, hébétées, les images sur une chaîne d'information. Des colonnes de pick-up avancent sur les routes du Nord de l'Irak, avec de longs drapeaux noirs accrochés à l'arrière. Des hommes qui ont fait allégeance à la mort se pavanent devant des caméras. Quelque chose commence. Elle sent que ces hommes marchent sur elle. Qu'ils ne la laisseront pas indemne, qu'ils se sont levés du fin fond de l'obscurité, l'arme au poing, pour renverser ce qu'elle construit patiemment depuis des années. Elle sent que tout ce en quoi elle croit est en danger face à eux. Et elle pense immédiatement aux objets du musée de Mossoul.

Il prend place dans l'avion. Près du hublot, à l'avant de l'appareil. À ses côtés un couple de Libanais parle un mélange d'arabe et d'anglais. Il regarde par la vitre. Le long de la piste, les manches à air commencent à s'agiter. Le vent se lève, comme

venu de nulle part. "Es-tu prêt à partir?" demande
encore son oncle dans un coin de sa tête. Il repense à
Mycènes, à la ville entière qui descend dans la plaine
d'Argos, à tous ces hommes qui ne comprennent
pas qu'ils ont déjà perdu, qu'ils saigneront à jamais
de cette guerre. Que va-t-il perdre, lui, à Beyrouth?
Que cède-t-il au vent en acceptant cette mission?
Un homme l'attend là-bas, qu'il va peut-être devoir
tuer. Ce n'est pas cela qui lui fait le plus peur. Ce
qu'il redoute, c'est qu'il va falloir lui parler, l'écouter, échanger avec lui pour pouvoir se faire une idée.
Jusqu'à présent, dans les missions qu'on lui attri-
buait, il y avait des cibles. Il fallait trouver la proie et
l'abattre. Aujourd'hui, il va devoir décider. Qu'est-
ce qu'il soupèsera chez cet homme pour choisir s'il
doit mourir ou pas? Est-ce que se livrer à des trafics
d'objets d'art est une raison suffisante? Il repense à
tout cela, et le vent souffle maintenant de plus en
plus fort. Les nuages se déplacent de plus en plus
vite dans le ciel. Le bruit du vent s'entend dans la
carlingue de l'appareil. L'avion s'est mis en mouvement et roule vers la piste de décollage. "Es-tu prêt
à partir?" Il est prêt. Il consent à ce qu'on l'ampute.
Chaque départ est une perte. C'est ce que voulait
lui dire son oncle et peut-être avait-il raison. Il réfléchit à l'entretien de Zurich. Avant de partir, Dan
Kovac a ajouté que Sicoh s'était entouré d'une petite
bande hétéroclite, un drôle de ramassis, pas vraiment
politique, ni religieux non plus… Un Cubain, un
Syrien, une Colombienne, des Palestiniens, deux
Libyens, des Égyptiens aussi. Une dizaine d'hommes
en tout, sur lesquels Sicoh règne comme un chef de
guerre. Il a dit aussi que l'Américain se faisait appeler Job. Qu'est-ce qu'ils redoutent tant? Ce groupe

improbable? Ou quelque chose que Sullivan Sicoh a vu… Il a connu les prisons d'Abou Ghraïb en 2004. Il a fait partie de l'équipe resserrée de McRogan. Peut-être que ce dernier a des ambitions politiques et s'inquiète de ce que ses hommes pourraient bien raconter sur son compte… Ou alors Dan Kovac ne leur a pas tout dit sur les amis de Sicoh à Beyrouth. Il y a peut-être dans ce groupe des agents d'autres services…? Cela peut être mille choses. Sullivan Sicoh. Il pense à cet homme vers lequel il va et qui ne le connaît pas encore. Cet homme avec sa barbe broussailleuse et ses fines tresses dans ses cheveux longs. Est-ce qu'il sait que l'Amérique s'inquiète de lui, de ce qu'il dit, de ce qu'il vend? Est-ce qu'il sait qu'on lui envoie quelqu'un pour essayer de le cerner? Oui. Il doit bien le savoir. C'est pour cela, même, sûrement, qu'il a choisi Beyrouth, pour faire peur à ceux qu'il a quittés. Sullivan Sicoh. Plus il y réfléchit, plus il lui semble le connaître. Ils sont pareils. Ils ont été formés au même combat. Ils ont obéi aux mêmes ordres, couru les mêmes risques, eu peur dans les mêmes épreuves. Ils ont vu tous les deux ce que l'homme peut faire à l'homme : le pire. Sullivan Sicoh. Oui, il le connaît. Le vent souffle et emporte l'avion qui décolle dans un grondement de réacteur. Paris s'éloigne en quelques secondes. Il est entre ciel et terre, avec pour seul compagnon cet homme qui n'est encore qu'un nom mais qu'il a hâte de rencontrer.

III
ERBIL

Elle a pleuré lorsqu'elle a vu les images du musée de Mossoul que diffusaient en boucle les chaînes d'information : un homme en dishdasha avec une disqueuse à la main qui s'en prend au grand colosse ailé. D'autres qui frappent une statue avec un maillet. Elle a mis la main sur sa bouche comme si elle allait crier ou vomir. Elle sait pourtant la violence de ces hommes, qui tuent, violent, pillent. Elle sait que son pays se disloque sous l'avancée de cette armée au drapeau noir qui brandit le nom d'Allah mais n'est qu'un visage de plus de l'obscurantisme de toujours, celui qui n'aime ni le savoir ni la liberté des peuples, ni les femmes ni les chants. Elle sait tout cela. On parle de colonnes immenses de réfugiés fuyant le Nord, cherchant à rejoindre le Kurdistan irakien. On dit que les Yézidis sont bloqués dans les monts Sinjar et qu'ils les affament sans aucune pitié, femmes, vieillards et enfants. Est-ce que ce n'est pas pire, ce sang, ces mères qui cherchent en vain un refuge, ces visages harassés de fatigue qui fuient encore, toujours, sans cesse ? Est-ce que ce n'est pas pire que quelques coups de disqueuse sur de la pierre ? Lorsque Mossoul est tombée, elle a suivi les informations heure par heure, avec consternation et tristesse, mais elle n'a pas pleuré. Tandis que là, chaque balafre que cet homme fait sur le visage du géant de pierre à la barbe tressée lui soulève le cœur. Sur les images qu'ils diffusent, on aperçoit le chaos du musée. Les objets sont renversés, les vitrines cassées. On saisit des objets que l'on fourre dans des poches. D'autres sont jetés à terre au cri de "Allahou Akbar", bris d'éternité, tristesse de quelques secondes qui suffisent à anéantir des vases, des statues qui avaient survécu à des siècles. Celui qui renverse les jarres et frappe les statues, c'est le temps lui-même qu'il croit soumettre. Oh, le long chemin qu'il a fallu pour que ces objets nous parviennent. Les hommes et les femmes qui ont consacré leur vie à cela : Paul-Émile Botta, le consul de Mossoul qui trouva Khorsabad et ramena les grands taureaux qui trônent dans les salles mésopotamiennes du Louvre. Gertrude Bell qui participa à la création de l'Irak, lors du sommet du Caire où Churchill écoutait ses avis, où Lawrence d'Arabie confirmait par des hochements de tête ses analyses, mais qui voulut aussi laisser à ce pays qu'elle aimait un musée et créa ce qui allait devenir le Musée national de Bagdad. Hormuzd Rassam, le petit gamin des rues de Mossoul qui avait seize ans lorsque Botta arriva dans sa ville et qui finira à Brighton, ayant trouvé le plus vieux manuscrit de Gilgamesh… Tous ces hommes qui ont creusé, réfléchi, cherché, échoué et cherché encore. Toutes ces mains anonymes qui ont donné des coups de pioche, qui ont soulevé la poussière et le sable puis caressé de leurs mains des objets que l'on venait d'extraire pour les tendre au chef des fouilles. Tous ces objets patiemment dépoussiérés, pesés, observés, dont les siècles ont pris soin et qui

finissent là, jetés contre les murs, "Allahou Akbar",
comment peuvent-ils prononcer ces mots quand il
n'est question que de laideur et d'ivresse de détruire?

Les premiers jours après son retour d'Afghanistan,
ou les premières heures – il est bien incapable de dire
à quelle vitesse le temps s'écoula –, la salle de l'hôpital militaire semblait immense à Sullivan Sicoh et il
ne cherchait même pas à se l'approprier du regard.
Il sentait que c'était au-dessus de ses forces. Il voyait
des corps, sentait des présences, celle des soignants
qui allaient et venaient à son chevet, pour changer
un pansement, remettre une perfusion, celle, silen-
cieuse, épaisse, des autres comme lui, sur les lits à
ses côtés, dont il émanait parfois des sons – gémissements, appels, murmures à soi-même –, signe qu'il
y avait encore une vie en eux, même faible, même
gémissante, une vie en débâcle. Et puis les temps de
conscience se sont faits plus longs et maintenant il
ouvre les yeux avec plus de fermeté. On le redresse sur
son lit et la pièce apparaît dans sa totalité, plus petite
qu'il ne le pensait. Des corps cassés. Des hommes
amaigris au teint livide qui s'agitent ou somnolent.
Il est là, revenu de Kalafgan et dans ce hall de souffrance étrangement calme (on pourrait s'attendre
à ce que les jeunes gens qui sont ici – tous soldats
encore vaillants il y a quelques semaines – hurlent, se
révoltent, réclament leur vigueur, la plénitude de leur
corps), les soignants déambulent comme des bonnes
sœurs dans un couvent, sans déplacer l'air quasiment,
avec le seul bruit léger de leurs pas pour marquer leur
présence. Il regarde autour de lui les corps cassés, les
visages de la souffrance, et il décide que ce hall, ces

lits ne sont pas un lieu de repos, de reconstruction, mais un endroit qu'il doit fuir au plus vite, que ces malades autour de lui ne sont pas des frères mais des ombres auxquelles il doit échapper.

Hannibal touche du bout du doigt son œil. Il n'y a plus de pus. Est-ce qu'il a guéri ? Est-ce que son corps a pris le dessus sur la gangrène ? La plaie a fini de suinter. Il lève la tête à l'horizon, balancé par le pas lent de son cheval. Il ne voit rien, ne verra plus jamais rien de cet œil-là. Mais ce n'est pas grave. Les marécages de l'Arno lui ont pris un œil. Soit. Cet Empire romain dont il foule le sol, cet Empire qu'il bat depuis qu'il est arrivé, le marque à son tour dans sa chair. C'est juste. C'est une guerre totale qui s'annonce et peut-être perdra-t-il davantage, peut-être cet œil n'est-il qu'un début ? Au fil des campagnes à venir, son corps va s'esquinter. Il doit accepter cette possibilité. Tant des siens seront blessés. Tant des siens qui le suivront malgré une jambe boiteuse ou une main atrophiée. Plus ils avancent et plus les estropiés seront nombreux. Il est juste qu'il connaisse cela lui aussi, à l'égal de ses hommes. La guerre fait rage. Il est face à Publius Cornelius Scipio. L'un d'entre eux doit plier et ce sera le Romain. Il a déjà commencé à le faire : lors de la bataille du Tessin, puis lors de celle de la Trebbia. Il s'en est fallu de peu qu'il ne meure sur le champ de bataille, dès leur premier affrontement. Les Romains paniquent, s'effraient, ne savent plus que faire. Il était d'usage de respecter une trêve d'hiver dans l'art de la guerre, mais Hannibal a ordonné de continuer d'avancer malgré le froid. Ils marchent sur Rome en novembre, en décembre, dans la neige parfois. Leurs éléphants meurent les uns après les autres mais rien ne les empêche d'avancer toujours. Lors de la bataille de la Trebbia, ils s'étaient oint le corps d'huile pour se protéger du froid et ce sont les Romains qui sont morts d'avoir été trop engourdis, trop lents, d'avoir claqué des dents au moment de se battre et grelotté au moment de viser. Il va perdre un œil, oui, mais il avance. Et le sénat commence à trembler. Cornelius Scipio semble ne plus savoir mener une bataille tandis que les bras des frondeurs nubiens, eux, ne tremblent pas. Alors il peut bien donner un œil à la terre romaine. Qu'est-ce qu'ils croyaient, tous? Qu'on obtient des victoires en restant immaculé? Que l'on peut sortir de tant de mêlées indemne et frais comme au premier jour? Depuis qu'il a traversé Gibraltar, il a donné sa vie à la guerre. Cela signifie son corps, son temps, ses pensées. Il y aura des morsures, des cris. Il y aura des cicatrices et de la terreur, et s'il n'y a que cela, c'est qu'il est chanceux. Les Romains n'ont pas encore compris, ne font que réaliser doucement que ce qui se joue maintenant ne sera ni propre ni respectueux. Il n'y aura pas de panache. Tout est sale et effrayant, comme l'étaient les cadavres des Romains noyés dans les eaux gonflées par la neige de la Trebbia, ces hommes aux lèvres bleues, au corps raidi de froid, qui flottaient avec tristesse. Il a perdu un œil, oui. Il ira borgne désormais, mais peu importe pourvu qu'il avance.

"Pour l'instant, ils m'aiment", pense-t-il sous sa tente tandis qu'un aide de camp vient de lui déposer un pli l'informant que le général Buell est bloqué dans sa progression et qu'ils seront donc seuls face à l'armée de Johnston. "Ils m'aiment parce que j'ai gagné à Fort Henry et à Fort Donaldson et que je suis un des seuls officiers supérieurs du Nord à avoir quelques victoires à mon actif…" Il pense à McClellan qui ne sait pas prendre de décision, à McClellan qui attend toujours des mois comme s'il avait peur d'avancer ses pions sur la carte d'état-major. Car les hommes sont des pions. Il n'y a pas d'autre façon de voir. Ou alors il ne faut pas être général. Il n'y a pas de fermier, de gentils pères de famille, de grands gamins à la bouille sympathique et aux dents écartées, il n'y a pas de mari, il n'y a que des unités. Sinon comment pourrait-on décider que tel bataillon monte au front et pas tel autre ? Comment pourrait-on ordonner à un groupe d'aller mener une mission de diversion quand on sait qu'il y a une forte chance qu'ils n'en reviennent pas ? Il n'y a que Sherman qui comprenne cela. Parce qu'il est fou et qu'il sait que les hommes ne comptent plus, qu'il faut accepter de penser ainsi et que le faire vous sort de l'humanité. C'est parce qu'il sait tout cela qu'il est fou. Et puis Sherman est brave. Pas du courage commun qui n'est qu'une déclinaison de l'obéissance. Combien d'hommes se livrent à des actes héroïques simplement parce qu'on leur a ordonné de le faire et qu'ils n'ont pas eu la force de dire non ? Pour Sherman, c'est autre chose. Il est courageux parce qu'il est réfractaire à la défaite. Cela le brûle. La défaite lui donne envie de mordre, de piquer les flancs de sa monture et de charger tout seul dans les rangs ennemis. Il désobéit au cours des choses. Et ils ne sont pas nombreux à avoir ce don. C'est pour cela qu'il a été le seul à se battre à Bull Run, le seul à véritablement refuser la curée. Oui, Sherman peut comprendre. Tous les autres lui tourneront le dos lorsque les hommes commenceront à tomber. "Pour l'instant, ils m'aiment, pense-t-il, mais cela changera." Il peste. L'aide de camp pense que c'est à cause de la nouvelle qu'il vient d'apporter mais il se trompe. Ce n'est pas le retard de Buell qui l'inquiète. Il enrage contre la chute de cheval qu'il a faite hier et qui l'oblige aujourd'hui à s'aider de béquilles pour se lever de son lit de camp. Il enrage contre cette infirmité qui l'empêchera d'aller au cœur de la bataille alors que c'est là que se jouera le cours du sort. Il sait que les choses vont devenir laides et il sent obscurément que c'est pour bientôt. La seule chose qui les différencie des confédérés, c'est la cause. Ce n'est pas rien. Il faut s'accrocher à cela. Le reste va être sale. Les hommes vont se tuer à grande échelle et il va falloir tenir. Les soldats, quel que soit leur camp, vont plonger dans le feu et la mêlée et ils découvriront avec stupeur la face immonde du meurtre.

Sullivan Sicoh regarde, autour de lui, ces corps qui l'entourent depuis des mois, et ce qu'il voit, c'est la guerre et la débâcle. Dans les blessures, les claudications, les moignons, les regards baissés et les pleurs d'impuissance. Il fait comme tous les autres, avec concentration, ses exercices de rééducation. Il faut remuscler le corps qui a fondu à force de rester alité, dénouer les tensions qui donnent parfois des airs de vieillard. Il faut gagner en amplitude, obliger les muscles à retrouver leur élasticité. Il essaie de se concentrer pour oublier le reste, tout le reste, y compris la douleur. Millimètre par millimètre, jour après jour, il regagne du terrain sur sa propre vie. Il veut redevenir ce qu'il était et il y parvient, lentement. Il fait des progrès, il le sent. Les kinésithérapeutes le lui disent. Il récupère sa vitalité. Et puis, un matin, le médecin vient le voir et il sait en voyant son sourire qu'aujourd'hui ils ne feront aucun exercice, que c'est fini, qu'il a récupéré l'usage de son corps. Alors il le laisse avancer et, avant qu'il n'ait le temps de lui dire quoi que ce soit, Sullivan le regarde et lui demande : "Ça y est? Bon pour tuer à nouveau…?"

Elle a pleuré, dans son bureau de l'Unesco. Les images étaient toujours les mêmes et le dégoût toujours nouveau. Et puis, elle s'est souvenue de la cupidité des hommes. L'État islamique, comme les autres avant eux, écoutera l'argent. Ils savent déjà que ce qu'ils font terrifie le monde et qu'il y a moyen de gagner des sommes considérables avec ces objets qui gisent au sol. La disqueuse, c'est pour faire monter les enchères. Derrière s'ouvre un vaste trafic. Alors, elle sait qu'elle doit s'y rendre. Et c'est ce que lui dit également la chef du patrimoine qui entre dans son bureau, livide, tenant à la main un dossier qu'elle n'arrive pas à lire parce que depuis le matin elle ne peut que regarder, médusée, les images qui passent en boucle sur les chaînes. "S'il y a quelqu'un qui doit être là-bas en ce moment, c'est toi. Tant pis pour l'inauguration du musée de Bagdad. Tu seras plus utile là-bas. Il y a peut-être encore des objets à sauver…" Mariam sait que c'est juste, qu'il faut qu'elle fasse vite. Alors elle n'hésite pas, rassemble ses affaires et prend un avion pour Erbil.

"Ils attaquent!" Grant bondit de sa couche, regarde sa montre. Il est 6 heures. Il entend les premiers coups de feu. Comment peuvent-ils être déjà si proches? Il se lève, grimace lorsque son pied touche terre – il avait oublié sa chute – et se dépêche d'enfiler sa veste. "Ils attaquent!" Sherman bondit lui aussi, et Prentiss et Wallace, tous les officiers nordistes qui campent avec leurs hommes autour de la petite église de Shiloh. Combien sont-ils? Où sont-ils? Chacun se lève. Les hommes du rang cherchent leurs fusils. Les officiers sellent leurs chevaux. Les artilleurs s'activent et déjà l'ennemi est sur eux. Les confédérés arrivent comme une vague épaisse. Ils courent, crient pour se donner du courage, heureux de l'effet de surprise, de l'affolement qu'ils voient dans les rangs yankees. Il faut former une ligne de défense, le plus vite possible. Ne pas s'éparpiller. Ne pas céder à la peur. Se regrouper. Et tenir. À tout prix. Tenir. Grant le dit et le répète. Sans quoi nous serons disloqués…

"Mettez à sac les villages!" Hannibal regarde, du haut de la colline où il a planté son campement, les monts harmonieux de Toscane dans cette lumière douce de fin de journée. Tout est beau ici : les vignes à flanc de coteaux, les cyprès qui ponctuent les champs. Tout est opulent et paisible. Ses hommes hésitent, le regardent. Ont-ils bien compris son ordre? Il voit leur incrédulité alors il répète : "Dites à vos hommes de tout mettre à sac." Il sait ce que cela veut dire. Il sait la rudesse des frondeurs des Baléares qui défonceront les portes et se jetteront sur tout, femmes, bêtes, vin, pour satisfaire un appétit de siècle, pour faire oublier les privations des Alpes et les morsures du soleil des glaciers. Il sait que cela sera laid, que les robes vont être déchirées dans la boue, que des maisons seront incendiées et des villages rasés. Mais c'est la région de Flaminius, le commandant des légions romaines, et il faut le défier, le piquer, lui faire perdre son sang-froid. Certains hommes font la guerre à condition qu'elle ne les touche pas. Ils acceptent de mettre leur vie dans la balance, oui, mais pas celles de leur femme, de leurs enfants, pas les caves pleines d'amphores d'huile et de vin de leur région, pas les belles bâtisses dont ils ont hérité. Flaminius est de ceux-là. Hannibal le sent. Il va mettre à feu et à sang cette région, et le Romain perdra son sang-froid et sa clairvoyance.

Tout est affaire de sang-froid et Sherman en a. Il appelle à lui ses hommes, reforme sa ligne de défense. Prentiss, au centre, fait de même. Il faut tenir. Les confédérés sont sur eux. La première vague les assomme comme un coup d'estoc porté au ventre. Les morts tombent, à peine réveillés, le visage à jamais figé dans la fraîcheur du matin. "Emmenez-moi sur le champ de bataille!" ordonne Grant. Il veut être au plus près. Il sait que c'est le sang-froid qui fera la différence et il en a. Ils sont frères jumeaux pour cela, lui et Sherman. Même calme dans la tourmente, même capacité à lire les mouvements de troupe dans la cohue. Il parle à ses hommes, les houspille, les encourage. Il veut savoir qui est débordé et qui tient, où il faut envoyer des renforts… Une bataille se gagne ainsi, sur le contrôle de la peur qui veut toujours vous faire tourner les talons et vous précipite à la mort au moment où vous croyez vous sauver.

Son avion vient de quitter l'aéroport de Vienne. Elle fait route vers l'Orient. Elle survolera bientôt la Turquie, puis, plus loin, le Nord de l'Irak. Elle passera bientôt au-dessus de Mossoul, le musée éventré, les barbares heureux de leurs méfaits, ces couches d'Histoire qui sont sa vie, là, dans cette région qui ne cesse de s'embraser.

Les vagues se succèdent les unes aux autres. Qui peut résister à tant de puissance ? Huit, dix, douze, plus de quinze assauts sont lancés contre la ligne de défense yankee. Les sudistes sont infatigables. Ils chargent encore et encore… Les corps se mêlent les uns aux autres, s'enlaçant dans la mort. On ne voit plus l'ennemi tant il flotte de poudre et de fumée dans l'air. Tenir. Grant ne cesse de répéter ce mot, comme une prière. Et c'est ce que font Prentiss et ses hommes à l'avant-poste, pendant plus de sept heures consécutives. Ils tiennent pour laisser le temps à Grant et aux autres de s'organiser, pour laisser à Buell le temps d'arriver et de prendre position. Puis enfin, ils se rendent. Courbatus, abasourdis, le visage maculé du sang des autres, de tous ceux tombés à leurs côtés, ennemis ou frères, ils se rendent et le général Johnston sourit. Il ne comprend pas encore que cette reddition n'est pas sa victoire, que Prentiss capitule mais que Sherman a eu le temps de se repositionner et Wallace aussi. Que Grant est plus déterminé que jamais. Le vent a tourné. Et seul Johnston ne comprend pas que lorsque Prentiss s'avance, assommé par tant de coups donnés et reçus, le visage creusé, l'air éreinté, l'uniforme déchiré, c'est en vainqueur qu'il le fait. Car à partir de maintenant, la bataille va s'inverser.

Elle survole ces terres de guerre, entre Mossoul et Erbil. C'est là qu'Alexandre a battu Darius. C'est là que Paul-Émile Botta a fouillé et trouvé Dur-Sharrukin. Ces terres qui n'ont pas cessé de saigner, ces terres où depuis des siècles des peuples fuient la guerre et des empires s'affrontent. Sa vie à elle consiste à creuser, exhumer, préserver. À quoi bon si le monde brûle… ? Est-ce qu'elle ne devrait pas plutôt saisir un fusil pour tenter d'endiguer l'avancée des tueurs ? Toutes ces questions tournent en elle. Elle sait bien que non. Que c'est absurde. Elle sait bien qu'elle lutte à sa manière, mais elle ne peut s'empêcher de repenser à l'homme à la disqueuse. Et si elle l'avait devant elle, est-ce qu'elle serait prête à le tuer pour protéger le grand colosse ?

Pas un son ne résonne. La brume épaisse semble tout étouffer. Les oiseaux se sont tus. Les Romains n'entendent même pas le bruit de leurs propres pas sur le sol. Tout est silence. Ils avancent. Flaminius veut en finir avec Hannibal. Que plus jamais un barbare ne soit en position de brûler les villages de Toscane. Que plus jamais Rome ne connaisse l'humiliation de trembler devant un ennemi.

Les Carthaginois essaient de ne pas respirer, de ne faire cliqueter aucune de leurs armes. Ils attendent.

C'est ici que la victoire se joue. Ils le savent. Le lac de Trasimène est un peu plus loin. Ils se sont disposés sur les hauteurs du vallon. Si les Romains passent à leurs pieds, dans le défilé, le long du fleuve, ils ont gagné. Si le ciel se découvre et qu'ils deviennent visibles, tout aura échoué. Hannibal attend. Il sait que l'issue de cette journée ne dépend plus de lui. Un bruit, un cheval qui hennit, un nuage qui se déplace, tout cela peut changer le cours de l'Histoire. Et puis, soudain, un de ses hommes s'approche de lui et d'une voix sourde lui murmure : "Ils se sont engagés dans le défilé." Alors il se lève et ordonne à ses hommes de se ruer sur l'ennemi.

"Chargez!"
Le général Johnston monte lui-même à l'assaut et pique les flancs de sa bête. Il croit qu'il n'y a plus qu'à parachever son attaque et que tout sera bientôt fini. Les Yankees se sont repliés sur Pittsburg Landing. Il ne voit pas ce qui peut l'empêcher de profiter de son avantage. Il pense qu'il faut harceler les vaincus. "Chargez!"

Les Carthaginois dévalent la pente. Et d'abord les Romains ne comprennent pas d'où viennent ces cris car la brume déforme les sons, les déplace. Et puis soudain, ils les voient surgir, là, déjà sur eux, glissant de la colline à leur gauche. Les chevaux prennent peur et se cabrent. Les fantassins reculent spontanément vers le lac pour éviter la charge. Tout est confusion et personne ne voit plus rien.

Une balle perfore la jambe de Johnston, au niveau de sa botte. Le sang coule, poisseux, épais. Il pense que c'est sans gravité et ne descend pas de cheval. Il ne sait pas que le sang ne va pas cesser de remplir sa botte, qu'il mourra en moins d'une heure, là, à Shiloh, sur cette terre qui aurait dû être celle de sa victoire mais qui sera son tombeau.

La panique est générale. Plus personne ne tient les hommes. Flaminius sait que s'ils perdent leur sang-froid, ils sont perdus. Il hurle des ordres mais personne ne les entend dans la brume. Tout se disloque. Les Gaulois ont des visages terrifiants avec leurs tresses et leurs longues barbes. Et puis, un cavalier charge sur le consul et le tue d'un coup. Une petite voix se tait dans la mêlée et le grand corps romain, n'ayant plus de tête, se précipite en tous sens.

"Chargez!" C'est Grant qui crie cette fois. Et Buell avec lui. Sherman, Wallace et tous les officiers yankees. C'est à leur tour d'avancer. La guerre n'est faite que de cela : de ce va-et-vient : manger du terrain ou le perdre. Tenir ou reculer. Avoir la force de se relever, même après sept heures de combat, même après une nuit aux aguets, et charger sur ceux qui vous ont mis en pièces la veille. Beauregard, qui a pris la place de Johnston, voit les troupes nordistes contre-attaquer. Il comprend que tout est fini. Des hommes mourront encore, mais la bataille de Shiloh est perdue et il n'y a plus qu'à reculer.

Elle glisse sur ses terres dorées. Vu d'ici tout a l'air calme. Elle sait pourtant qu'en bas des hommes font la guerre. Ils se tirent dessus, courent, hurlent. Des villages sont pilonnés et des positions prises et reprises. Mais tout est beau vu d'ici, immense et calme. Elle repense au père jésuite Antoine Poidebard, inventeur de l'archéologie aérienne. Lui qui dans les années 1930 a sillonné le ciel de Mésopotamie, survolant Beyrouth, Damas, le désert de Syrie, Palmyre... Des centaines d'heures de vol, les yeux rivés au sol pour repérer les structures romaines enfouies, les lignes de murs que le temps a nivelés, la trace des anciennes fortifications. Et les tribus de Bédouins voyaient passer cet avion avec stupéfaction, lui tiraient dessus parfois, craignant qu'il n'apporte quelque malheur. Elle repense à cet homme qui glissait lui aussi sur les innombrables vies qui se pressaient sous lui. Il a vu le limes romain dans le désert syrien. Il a vu apparaître l'Antiquité parce que, vue de son avion, elle était évidente, elle sautait aux yeux, alors que les hommes, en bas, qui avançaient sur ces routes ou qui vivaient dans ces villages, ne la voyaient pas. Elle repense à Antoine Poidebard et à cet empilement du temps. Tout est là, sous elle : les campagnes d'Alexandre, la muraille qui assura la Pax romana, les lignes que Churchill et les Français tracèrent lors de la conférence du Caire, l'avancée de Daech. Elle glisse sur le temps, survole les hommes, leur minuscule destin, et elle ne les voit même pas. D'où elle est, seule apparaît la terre dorée d'Orient.

Pour que la victoire soit réelle, il ne faut pas uniquement que l'ennemi soit pris dans la souricière, qu'il n'ait plus d'issue, que son chef soit mort, il ne faut pas seulement que plus aucun ordre ne fédère les troupes, que chacun ne pense plus qu'à sa vie, essaie de fuir, tremble de peur. Pour que la victoire soit réelle, il faut aller jusqu'au bout et, lorsque l'ennemi est acculé, avec le lac dans le dos, ne sachant plus que faire, il faut encore avancer et le tuer. C'est ce qu'ils font maintenant. Les Ibères, les Baléariens, les soldats puniques. Ils entourent les Romains et les immolent. Ils tranchent, piquent, coupent. Ils abattent des hommes comme on le ferait d'un troupeau. Un à un, patiemment. Quinze mille hommes. Avec la lassitude des mêmes gestes. Ils le font parce que ce n'est qu'ensuite que l'on pourra parler véritablement de victoire, ce n'est qu'ensuite que la nouvelle parviendra à Rome et que pour la première fois la panique s'emparera des rues. Ils égorgent, mutilent, un à un, jusqu'à ce que quinze mille corps salissent les eaux du lac de leur sang, quinze mille corps d'hommes qui pensaient vivre ce matin et qui flottent, trois heures plus tard, tandis que les brumes se dissipent enfin, offrant à Hannibal le spectacle horrible de sa victoire. Et peut-être est-il saisi par cet instant ? Peut-être ont-ils été des frères pendant ces trois heures de corps à corps, unis d'avoir tous remis leur vie dans les mains du destin ? Peut-être est-ce pour cela qu'il cherche longtemps la dépouille de Flaminius sur le champ de bataille mais ne la trouve pas, car le consul a été décapité et sa tête a roulé dans l'eau, alors il demande qu'on rende hommage à tous les morts, y compris à ceux que, quelques minutes plus tôt, ses soldats égorgeaient encore. Et tout le monde se tait enfin face au lac devenu rouge.

Grant sait qu'il a gagné aujourd'hui. Il parcourt le verger de Shiloh couvert de corps, enjambant les bras raidis des moribonds. Autour de lui, tous les officiers sont consternés par l'étendue des pertes. Qu'est-ce qu'ils croyaient ? La boucherie, voilà ce qu'est la guerre. Rien d'autre. Tout le monde le regarde avec dégoût mais il sait qu'il a gagné, lui. Même si la colère monte et ira jusqu'à Lincoln, même si à partir de maintenant, on l'appellera "le Boucher". Même si on l'éloignera un temps des postes de commandement parce que les autres généraux rêvent encore à des victoires propres. Il connaît, lui, l'odeur des champs de bataille. Une fois que ça ne sent plus la poudre, l'odeur qui reste, c'est celle de la tripe et du sang. Alors il veut bien qu'on l'appelle "le Boucher", au fond ils n'ont pas tort… Tant d'hommes sont morts aujourd'hui. Mais il refuse qu'on dise qu'il a perdu à Shiloh. C'est une victoire. C'est à cela que ressemblent les victoires : les blessés claudiquent et les mourants gémissent, comme dans une défaite. La seule chose qui compte, c'est que Beauregard recule et que lui, Ulysses S. Grant, avance. Et tant pis si c'est en enfer. Puisque c'est la guerre, il faut bien la gagner.

L'avion file dans le ciel de Turquie et d'Irak et il lui semble les sentir, ces centaines de milliers de vies, qui au fur et à mesure du temps se sont massacrées sur ces terres. Que reste-t-il de tout cela ? Des fortifications, des temples, des vases et des statues qui nous regardent en silence. Chaque époque a connu ces convulsions. Ce qui reste, c'est ce qu'elle cherche, elle. Non plus les vies, les destins singuliers, mais ce que l'homme offre au temps, la part de lui qu'il veut sauver du désastre, la part sur laquelle la défaite n'a pas prise, le geste d'éternité. Aujourd'hui, c'est cette part que les hommes en noir menacent. Ils brandissent leurs armes et hurlent qu'ils n'ont pas peur de la mort. "Viva la muerte!" disaient les fascistes espagnols. C'est la même morgue, la même haine de l'homme. Mais ce qu'ils attaquent, eux, c'est la part qui normalement échappe aux batailles et à l'incendie. Ils tirent, pilonnent, brûlent, comme les hommes l'ont toujours fait. L'Antiquité est pleine de villes mises à sac – l'incendie de Persépolis, la destruction de Tyr –, mais d'ordinaire il en restait des traces, d'ordinaire l'homme n'effaçait pas son ennemi. Ce qui se joue là, dans ces hommes qui éructent, c'est la jouissance de pouvoir effacer l'Histoire.

IV

BEYROUTH

La chaleur de Beyrouth l'a saisi dès la sortie de l'aérogare, épaisse, chargée de l'air salé de la mer, porteuse du capharnaüm des embouteillages et du cri des gamins des quartiers sud. Dans le taxi qui le menait à son hôtel, il a contemplé avec avidité les rues, scrutant les changements de cette ville qu'il connaît depuis quinze ans : les immeubles qui ont fini par s'effondrer d'épuisement, les nouveaux qui ont poussé comme de grandes fleurs de verre, avec fontaine et marbre. Tout est côte à côte ici, les ruines et la spéculation immobilière, les traces du passé (un immeuble encore rongé d'impacts de balles, une vieille maison du temps du protectorat français à Achrafieh) et le désir d'oubli. Tout est là, chrétiens et musulmans, visages pauvres et sourires cosmopolites. Il aime cette ville plus que toute autre, sa violence épaisse, vieille comme une vendetta des montagnes, sa nervosité dans les rues de Hamra et son calme majestueux, le matin, sur les restaurants de la Corniche où l'on peut prendre le petit-déjeuner face à la mer. Il aime cette ville qui hésite sans cesse, ne sachant si elle doit tout raser pour se reconstruire ou tout conserver pour que les blessures du passé soient visibles et servent de leçon aux générations à venir, qui hésite toujours et ne choisit jamais car avant qu'elle n'ait le temps de le faire, elle est reprise par ses démons et se mord à nouveau avec voracité, saigne et se met en lambeaux. Il aime cette ville parce que le monde entier est là, les Druzes, les Kurdes, les Palestiniens, les Arméniens, ceux qui reviennent au pays une fois l'an pour revoir leur vieille mère, arrivant du Caire ou de Bamako, de Pékin ou de Port-au-Prince, et qui parlent toutes les langues car cela fait longtemps que le monde est aux Libanais, eux qui se déchirent leur terre mais parcourent les mers, fils de Phéniciens. Aujourd'hui, la ville craque sous l'afflux des réfugiés. Les Syriens arrivent sans cesse. Ils regardent les camps de Palestiniens qui sont devenus des villes de béton, affreuses, serrées dans un entremêlement inextricable de fils électriques, et ils savent que c'est le mieux qu'ils peuvent espérer : rester ici et vieillir comme des exilés dans une ville qui ne sait plus pleurer sur ceux qui ont fui leur terre parce qu'elle a trop besoin de se battre encore pour survivre, et trop envie de s'étourdir…

L'avion s'est posé et d'abord, à l'aéroport, il lui a semblé que tout était normal. Puis une voiture l'a emmenée jusqu'à l'Institut français et elle a traversé la ville. À Erbil, c'est la confusion totale. Les réfugiés convergent de partout, fuyant l'avancée de l'État islamique. Il y a quelques mois, les Kurdes irakiens accueillaient leurs frères syriens. Des camps de réfugiés avaient été construits le long de la frontière du Nord. À Domiz. À Kawergosk. Maintenant, ce sont les Irakiens eux-mêmes qui fuient. Erbil tente d'absorber toute cette population d'hommes et de

femmes apeurés fuyant leur ville, leur village, n'emmenant avec eux que ce qui tenait dans les sacs, portant leurs enfants, cherchant un endroit où se poser,
où retrouver un peu de calme, souffler et boire de
l'eau en se persuadant qu'on trouvera une solution
pour les jours à venir… Erbil croît et se lézarde de
partout. Et dans la rue, sur les visages des femmes,
ce qu'elle lit, c'est la morsure de la peur.

"Nous ne pouvons pas rester ici, Votre Excellence…" Le bruit des avions se rapproche. "Il faut
faire vite, Votre Excellence…" L'avion pique. Tout
le monde se fige dans la petite grotte. Le bruit des
moteurs en piqué devient plus strident. Et puis les
tirs, partout au-dessus, qui font exploser la roche,
les tirs qui éclatent aux oreilles. On dirait que la terre
tremble. Un autre avion est derrière, déjà. Ils ne tarderont pas à les bombarder. Cela fait deux jours qu'ils
se terrent dans cette petite grotte d'Aïa dont ils ont
fermé l'entrée avec un rideau de soie et qui est pleine
de la lourde odeur d'encens qu'ils brûlent, jour et
nuit, pour les morts tombés à Maichew. Lorsque la
première bombe éclate, à 100 mètres de l'entrée,
les prêtres qui entourent Hailé Sélassié se mettent
à prier. "Votre Excellence… Vite!" Alors, il se lève,
entouré de ces hommes qui veillent sur lui avec l'attention d'une mère, et ils sortent en courant de la
grotte. Courir. Souffle court. Courir avant que les
avions n'aient fini leur tour dans le ciel. Sentir les
pierres glisser sous ses pieds mais continuer, ventre à
terre. Courir, parce que c'est ce que font les vaincus…

Assem est entré dans le musée archéologique. L'homme au guichet lui a répété, avec un air insistant, que pour lui la visite commencerait dans une heure, au café d'en face. Il n'a rien répondu. C'est le rendez-vous qu'il attendait. Il lui reste une heure à tuer. Alors, il s'est promené entre les tombeaux de la première salle. Tout est là, à Beyrouth, l'antique et la frénésie, la ruine et les dollars. Il regarde le visage des époux sculptés sur le couvercle du tombeau, un homme et une femme, majestueux, allongés côte à côte, légèrement redressés sur leurs coudes, qui ont plongé dans la mort ainsi, sereins, laissant le monde aller à son bruit. Et les bas-reliefs, en dessous, entremêlements de corps, d'épées, de luttes. Grecs contre Troyens. C'est la guerre : les coups que l'on donne, les corps que l'on tranche. Il regarde cela, le vacarme de la mort, les cris, les gémissements, et les époux qui ont l'air si calmes alors qu'une foule grouille à leurs pieds. Connaîtra-t-il, lui, à l'instant d'entrer dans la mort, cette sérénité de patricien romain ? Il entend les hurlements monter en lui. Il s'en souvient. C'était sur la route entre Syrte et Misrata et le dictateur était là, à quelques mètres devant lui. La foule, tout autour, hurlait et piétinait sans que l'on sache encore si elle voulait l'escorter ou le dépecer. Il se souvient. Les corps surchauffés qui ne font plus attention aux coups qu'ils donnent. Il avait dû se rapprocher encore jusqu'à le voir, là, Kadhafi, ou ce qu'il en restait, le visage difforme, les yeux pochés, la lèvre fendue, contusionné et hagard, Kadhafi qui n'avait plus rien à voir avec le seigneur arrogant qu'il avait croisé quelques années plus tôt lors de son voyage officiel et qui, le soir, dormait sous sa tente de Bédouin dans la cour de l'Élysée, humiliant cette France qui le recevait. Il se souvient. Les voix autour qui saturaient l'espace. Il avait dû faire comme les autres, crier lui aussi et adopter les mêmes mouvements brusques, violents, pour pouvoir rester là, dans le premier cercle de cette foule en rage. Les époux du musée de Beyrouth ont l'air si calmes. Est-ce qu'ils n'entendent pas les cris de la foule, les mots engourdis que Kadhafi essaie encore de prononcer, promettant de l'or si on le laisse aller en paix? Est-ce qu'ils n'entendent pas les tirs de fusils automatiques pour dire la joie d'avoir capturé le dictateur? Il repense à Leptis Magna, qu'il avait voulu voir quelques mois avant, du temps où il était instructeur pour les rebelles et, là-bas, les tirs d'armes lourdes semblaient incongrus. Ils étaient si petits, si insignifiants avec leur combat pour faire tomber Tripoli. Les colonnes romaines étaient face à la mer comme des stèles du temps et le crépitement des armes était laid face à leur immobilité. Il avait senti, alors, comme il le sent aujourd'hui, que c'était à ce temps-là qu'il appartenait, lui, le temps de l'urgence, de la guerre, le temps de l'action, et il avait quitté le site avec la même tristesse qui l'étreint aujourd'hui lorsqu'il laisse derrière lui les époux sur le catafalque qui le regardent s'éloigner et sortir, retrouvant le danger de la rue de Beyrouth, la chaleur, le bruit, et les enjeux minuscules d'une vie parmi des milliers d'autres tandis qu'eux continuent de fixer l'éternité en souriant.

Se sauver. Courir, tête basse... Il n'est qu'un rat fuyant les yeux de l'aigle italien qui veut le manger. Il s'en souviendra toute sa vie, de ces longues journées où il se cachait, à l'abri de la végétation ou dans les villages. Il se souviendra longtemps de ces nuits de marche où il fallait avancer sans relâche dans la direction d'Addis Abeba. Il a ordonné à ses hommes de faire un détour par Lalibela. Il a pu descendre dans l'église troglodyte, joyau de la chrétienté en Afrique, et il a prié. Qu'a-t-il demandé à Dieu, là, dans l'ombre de l'église en forme de croix creusée au sol ? Qu'est-ce que le rat a demandé ? Il sait maintenant – et s'en souviendra toute sa vie – ce que c'est que d'être pris au piège, traqué par son vainqueur, et de n'avoir qu'un dieu à qui parler tandis qu'au dehors les hommes scrutent le ciel avec inquiétude, n'osant pas venir l'interrompre dans ses prières mais espérant qu'elles ne durent pas trop car il ne faut pas traîner. Il ne peut plus rester nulle part. Il doit lever le camp sans cesse. Il avance dans la nuit tandis que le maréchal Badoglio et le Duce dorment dans des draps soyeux, faisant des rêves de suprématie dans des odeurs de gaz moutarde.

L'Institut français d'Erbil, sur la demande de l'Unesco, a mis un petit bureau à sa disposition. Il y fait chaud mais elle est heureuse d'avoir un endroit où elle peut mener ses entretiens. Plusieurs personnes attendent déjà dans le couloir. Le mot est passé qu'une dame est là qui cherche des informations sur le musée de Mossoul. Le premier qu'elle fait entrer est un jeune homme qui lui demande si elle peut lui trouver un endroit où passer la nuit, à lui et à sa famille. Elle essaie de lui expliquer qu'elle ne peut pas l'aider, qu'elle n'est pas là pour cela, que ce n'est pas ici qu'il faut demander.

"Juste un endroit pour moi et mes enfants…

— Je suis désolée. Ce n'est pas moi qui m'occupe de cela.

— Je suis de Mossoul.

— Vous êtes partis quand ?

— Quelques heures avant qu'ils n'arrivent… Je ne voulais pas partir mais, là, il n'y avait pas d'autre solution.

— Vous savez ce qu'il s'est passé au musée ?

— Ils détruisent tout.

— Vous l'avez vu ?

— Tout, je vous dis… Tout le monde l'a vu. Ils sont venus pour cela. Nous tuer. Et raser la ville…"

Elle sent qu'elle n'apprendra rien de cet homme. Plus il parle, plus sa voix est aiguë. Il s'agite. Ses mains tremblent. Elle sait qu'elle ne peut rien pour lui. Alors, elle se lève et le remercie de s'être déplacé, lui souhaite bonne chance et le laisse replonger dans le chaos d'une ville qui se cherche, s'interpelle, court pour trouver à boire et où dormir.

"Demandez-leur de répéter. Dites-leur qu'il est encore temps de bombarder le train." Le soldat radio relance la communication. Le général Graziani attend, tendu. Il ne peut pas croire que Mussolini refuse. Le Négus est là, dans ce train en fuite. Ils peuvent en finir, intercepter le train, le réduire en bouillie. Est-ce qu'il hésite ? Il sait ce qu'il faut faire, lui. Ce n'est pas le moment de tergiverser. S'il a réussi à trouver Omar al-Mokhtar en Libye, c'est parce qu'il sait qu'il ne faut pas trembler. Est-ce que ce n'est pas pour cela que le Duce l'a choisi ? Il a traqué le chef de la rébellion libyenne jusqu'à l'avoir au creux de la main. Il lui a proposé une amnistie en échange de sa reddition et lorsqu'Al-Mokhtar a refusé, il a ordonné qu'on le pende. Et cela ne lui a fait ni chaud ni froid. Comme cela ne lui ferait ni chaud ni froid de bombarder le train du Négus. Ce sont des nègres. Qu'on en finisse. Est-ce que, oui ou non, le Duce veut reconquérir l'Éthiopie comme ils ont reconquis la Cyrénaïque et Tripoli? Il s'impatiente. La réponse ne vient toujours pas. Le train s'éloigne. À chaque seconde qui passe, le Négus se rapproche de sa survie. Il n'aime pas cela. Ce n'est pas ainsi que l'on gagne des guerres. La radio grésille. Le soldat écoute avec attention, puis se tourne vers lui : "C'est non, mon général. Ils disent de le laisser filer." De toute façon, il est trop tard, pense Graziani avec dégoût. Le Négus lui échappe. Est-ce qu'il saura un jour que sa vie s'est jouée à cet instant? Est-ce qu'il peut imaginer, en ce moment, bien calé dans le fauteuil de son compartiment, que son sort vient de se décider? Il fuit à travers son pays, essayant de rejoindre sa capitale, il fuit, inconscient des aigles, dans le ciel, qui ont tournoyé un temps au-dessus de lui avant de décider de rompre les cercles qu'ils faisaient et de disparaître.

Dans le couloir, les hommes qui étaient là sont partis. Peut-être ont-ils entendu qu'elle ne pouvait rien pour les réfugiés et sont-ils allés tenter leur chance devant une autre porte. Il ne reste qu'un vieux monsieur, avec une barbe blanche, bien taillée, portant une veste trop chaude vu la température qui règne dans le couloir. Mais il ne l'enlève pas et elle ne semble même plus l'indisposer. Elle a un peu de poussière sur les épaules. "De la poussière de Mossoul…" pense-t-elle, et cela l'émeut. C'est si proche. Lorsqu'il entre, il le fait avec timidité. Il ne la regarde pas dans les yeux. Elle le salue, lui demande s'il habite Mossoul. Il acquiesce.

"Vous savez, demande-t-elle, que je ne m'occupe pas des réfugiés. Je travaille pour les musées irakiens."

Il la regarde avec une certaine expression dans les yeux, comme s'il allait avouer une faute.

"J'habite en face du musée, dit-il d'une voix douce. Des fois, le gardien me donne la clef lorsqu'il sait qu'il ne pourra pas être là pour l'ouverture du matin. Cela arrive rarement, mais il a parfois quelques empêchements…

— Vous savez quelque chose sur ce qu'ils ont fait ?

— Je les ai vus arriver… de ma fenêtre.

— Vous étiez encore à Mossoul à leur arrivée ?

— Oui. Je suis parti la première nuit. J'ai eu de la chance. Maintenant, c'est plus difficile. Mais mon fils est brave et, la première nuit, il a trouvé un moyen.

— Le musée… ?"

Elle n'ose pas poser sa question. L'homme la regarde et reprend son récit.

"Ils sont arrivés avec trois 4×4 et des haut-parleurs. Ils ont proclamé qu'ils prenaient possession de la ville, que les œuvres de ce musée étaient impies. Ils sont entrés à plusieurs. On a entendu beaucoup de bruit à l'intérieur. Je crois qu'ils ont tout cassé…

— Est-ce que vous les avez vus sortir des pièces du musée ?

— Non."

Il hésite encore. Puis, avec une voix presque peureuse, il ajoute :

"Mais moi, j'ai pris cela." Et il sort de la poche de sa veste un petit paquet de tissu qu'il pose sur la table. Elle le regarde. Il baisse les yeux. Elle ouvre délicatement le paquet. À l'intérieur, une paire de boucles d'oreilles de la période sumérienne…

"J'y suis passé le soir. Il y avait encore des gardiens devant mais je connais un chemin qui mène derrière, à la salle de réunion. Je n'ai pas été jusqu'à la salle du musée. J'avais trop peur. Mais dans les couloirs, il y avait beaucoup de bris de vases. Et cela… Je l'ai pris. Pas pour moi. Vous comprenez? Mais je pensais que ça ne devait pas rester là-bas…"

Elle le remercie. Lui dit l'importance de son geste. Elle lui répète qu'il a bien fait et loue son courage. Il se lève, encore un peu gêné, puis disparaît sans rien demander.

Il a commandé un café blanc. Il s'est assis à la terrasse de la petite guinguette qui est juste en face du musée. Il observe chaque passant, chaque voiture qui surgit. Il a écouté la conversation de la table d'à côté, entre les deux hommes un peu âgés, jusqu'à ce qu'ils se lèvent, saluent le patron et s'en aillent. Il essaie de profiter de ces instants parce qu'il sait que ce sont les derniers instants calmes qu'il va connaître avant longtemps, mais son corps est déjà tendu. Il se récite à lui-même des vers de Mahmoud Darwich, pour repousser le moment où il sera à nouveau un professionnel des services français, un agent à qui l'on confie depuis dix ans des missions d'élimination, ici, au Moyen-Orient, ou dans le Sahel. "Mourras-tu à Beyrouth…" mais il ne se souvient plus de la suite. Son esprit est trop attiré par les passants. Il sent la tension monter en lui. Il cherche encore dans sa mémoire : "Beyrouth / La nuit… Pas de nuit plus dense que celle-ci", et il se souvient de Mahmoud Darwich qu'il était allé voir une fois, lors d'un passage à Paris du poète palestinien, à l'hôtel Madisson, devant l'église Saint-Germain-des-Prés. Il l'avait trouvé au bar, seul. Il devait être 11 heures. Il s'était présenté, avait hésité : fallait-il inventer une identité, dire qu'il était libraire, professeur ou autre chose ? Il se souvient encore de cela : les secondes où il s'était approché, le regard de cet homme sur lui, et alors il avait su qu'il ne mentirait pas, il avait tendu la main, en disant : "Monsieur Darwich ? Je travaille pour les services français… mais je voudrais savoir si vous accepteriez de parler poésie un court instant avec moi ?", et l'homme n'avait pas frémi ni même paru surpris. Il avait montré de la main le fauteuil en face de lui, Assem s'était assis et ils avaient parlé. "Si cet automne est le dernier, demandons pardon, pour le sac et le ressac de la mer…" Ils avaient parlé sans que Darwich ne lui demande rien sur ce qu'il était. Juste, au moment de se quitter, lorsqu'ils se serraient la main, cette phrase que le poète palestinien lui avait dite, les yeux plantés dans les siens : "Ne laissez pas le monde vous voler les mots." Il le revoit là, avec ce visage de pierre, et c'est la première fois qu'il y repense. C'était des années plus tôt. Et il doit bien avouer qu'il a laissé le monde lui voler les mots. Il n'a été question que de gestes. L'action, qui s'empare de tout, ne laisse plus de place à rien. L'action avec son ivresse et son intensité qui rend tout si fade en comparaison. À quoi avaient-ils servi, les mots, dans cette foule sur la route entre Syrte et Misrata, tandis qu'il serrait son 9 mm, prêt à tirer si la situation devenait incontrôlable, et le visage de Kadhafi, là, à quelques mètres de lui, apparaissant et disparaissant au gré des mouvements de la foule? À quoi avaient-ils servi, alors que personne n'entendait plus que les cris, les tirs, la joie sauvage de la foule? Plus personne n'était en état ni de les prononcer ni de les écouter, et Kadhafi ressemblait à un boxeur au sol ou à une femme battue. Seuls s'entendaient les cris de la foule qui se bousculait et les tirs de kalashnikov en l'air pour fêter la prise du dictateur. Il sent qu'il va les perdre à nouveau, les mots. Dans quelques minutes, quelqu'un va surgir, armé sûrement, et l'emmener jusqu'à l'endroit où se cache Job. Le danger est là. Il doit se tenir sur ses gardes. Ils peuvent décider de l'abattre, à cette terrasse, pour dire à la France qu'ils ne veulent pas d'elle, qu'ils ont très bien compris que ce sont les services américains qui l'envoient, ou parce que Job est fou, simplement, et veut tout brûler autour de lui. Il doit être vigilant et nerveux. Les mots n'ont plus leur place et pourtant, il s'accroche, ne veut pas les laisser partir. Il sait qu'il est plus lui-même lorsqu'il les porte en lui, ou en tout cas qu'il est plus proche de la vérité du monde. Il voit encore le visage de Darwich, se souvient de ce vers, "Ma patrie, une valise", et surgit alors dans son esprit, qui se superpose à celui du poète, le visage de la jeune combattante kurde, Shaveen, lorsqu'il l'avait vue la première fois, devant l'entrée du camp de Kawergosk où il était passé la prendre en pick-up, Shaveen, une du groupe qu'il devait former, qui lui avait répondu "Pour eux" en montrant les tentes de réfugiés, lorsqu'il lui avait demandé pour qui elle se battait. Et alors il avait envié cette force. Pour qui se battait-il, lui? Pour les intérêts de la France? Oui. Mais ces intérêts chan-geaient si souvent… Il avait été chargé de la protec-tion de Kadhafi avant de se retrouver sur la route de Syrte, du côté de la foule qui hurlait son plaisir sau-vage d'avoir enfin le tyran entre les mains. Shaveen, elle, n'hésitait pas. Elle avait le visage de la victoire. Il s'était dit cela : qu'il l'enviait parce que même si elle ne parvenait pas à endiguer l'avancée de Daech, même si elle tombait un jour sous les balles enne-mies, elle ne pouvait pas perdre. Quelque chose en elle ne serait jamais sali, jamais vaincu. Elle se bat-tait pour les familles dans les tentes qui se serrent la nuit, dans une buée de chaleur humaine et une odeur de charbon de bois. Tandis que lui, quand pouvait-il dire qu'il avait gagné? Il avait accompli des missions, avec succès. Des hommes avaient été éliminés. Mais avait-il gagné? Les mots l'ont quitté. Chaque fois qu'il a dû plonger dans l'action, la poé-sie s'est tue et Darwich le regarde, du fond de son souvenir, dans l'hôtel Madisson, et il sent qu'à nou-veau il doit accepter de les laisser partir, les mots, car une voiture vient de débouler. Elle s'est garée sèchement devant lui. Un homme en est sorti, sans cacher le pistolet automatique qu'il tient à la main. Il regarde à droite, à gauche, ouvre la portière arrière et lui fait signe de monter.

Il se résigne à quitter Lalibela. Il faut avancer sans cesse, se cacher en son propre pays. L'ennemi a vaincu. Les troupes italiennes marcheront bien-tôt sur Addis Abeba. Quand reviendra-t-il ici…? Certains jours, il réfléchit à la possibilité d'orga-niser la résistance intérieure, de lutter pied à pied.

Mais il sait qu'il faut une voix politique à l'Éthiopie et que c'est à lui d'aller la porter en Europe. Alors il avance, obstinément, rejoignant Magdala, puis Fitché. Là, cinq voitures et cinq camions l'attendent. Il peut enfin s'asseoir et souffler. Il est un fuyard en son propre pays. Va-t-il vraiment partir? Il sera le premier roi des rois à quitter son peuple. Lorsqu'il parvient à Addis Abeba, il sent que la question ne se pose plus. Il n'y a pas d'autre choix. Il y a quelque chose de fou dans l'air de la capitale. Ses généraux le lui disent : les hommes désertent. Plus personne ne veut se battre. Les responsables de la police racontent que les scènes de pillage se multiplient. Il ne faut pas rester ici. On entend des coups de feu en plein jour. Addis Abeba panique, se cabre, devient folle. Il n'est plus maître en sa ville. Alors il part, quitte tout : le palais, le peuple éthiopien, ses rêves de résistance armée, ses sujets valeureux, il part comme un roi déchu, humilié par le monde qui l'a laissé mourir sans bouger, il part avec sa femme en direction de Djibouti et il ne parle plus, ne peut plus prononcer un mot, il a honte, lui, le descendant des vainqueurs d'Adoua, il a honte et il se tait car, à cet instant, les mots l'ont quitté.

Sullivan Sicoh se tient devant la pierre tombale et contemple le nom qui est gravé dessus : Jasper Kopp. C'est étrange de penser que cet homme qui lui a sauvé la vie est mort et qu'ils ne se croiseront jamais. Il essaie d'imaginer Jasper Kopp allant à la base aérienne de Creech tous les matins, prenant place avec un collègue dans le cockpit et s'isolant ainsi, pour quelques heures, du reste du monde…

Non, pas du reste du monde, juste de la banlieue tranquille dans laquelle il vit, du supermarché, des enfants, et plongeant dans un monde d'images caméra, de vues du ciel, de zooms et d'ordres radio. Il essaie d'imaginer Jasper Kopp fixant des images du bout du monde qui lui parviennent avec un décalage de quelques secondes, Jasper Kopp qui vole tous les jours en Afghanistan puis rentre chez lui le soir. Il essaie d'imaginer Jasper Kopp qui embrasse ses enfants dans leur lit, plane sur les montagnes talibanes, va faire ses courses au supermarché, fait sauter des véhicules sur des routes rectilignes ou pulvérise des grottes d'où sortent des corps indistincts. Qu'a-t-il vu de la cour d'école de Kalafgan ? Quelles sont les dernières images que son écran lui a renvoyées avant l'explosion ? A-t-il vu un enfant courir après un ballon ? A-t-il essayé de revenir sur son ordre de tir ou n'a-t-il pu que suivre des yeux avec terreur la progression du Hellfire* qui allait percuter ce bâtiment et faire de lui un assassin ? Peut-on dire qu'ils y étaient ensemble, lui, le visage contre terre, traîné au sol par une foule d'hommes en colère, mangeant la poussière et les coups, et Jasper Kopp flottant dans les cieux, embrassant du regard les maisons, puis libérant la mort d'un coup en lançant son missile sur l'école où tout serait bientôt fumée ? Ont-ils été ensemble ? L'homme qui gît là, sous cette pierre tombale, s'est suicidé parce qu'il a tiré ce jour-là. Kopp était le seul à connaître son secret. Est-ce que l'on peut mourir d'être trop loin du champ de bataille ? De tuer en même temps que l'on choisit des yaourts ? De déclencher des explosions du bout des doigts

* Missile américain tiré par les drones.

au moment où on embrasse ses enfants sur le front pour qu'ils s'endorment paisiblement ? Est-ce que l'on peut mourir de cela, de rester intact, intouché, hors de portée des coups, des cris, de la fumée et des éboulis ? Les hurlements des femmes de Kalafgan, il les a entendus, lui, tandis que Jasper Kopp, ce jour-là, n'a entendu que la musique d'ambiance d'un supermarché sur le chemin du retour et sa femme qui lui a peut-être demandé comment s'était passée sa journée. Et si elle l'a fait, qu'a-t-il répondu ? A-t-il dit qu'il avait sauvé un soldat américain qui était sur le point de se faire lyncher ? N'a-t-il parlé que de cela ou a-t-il dit aussi qu'il avait rayé de la carte une école et que les mères de Kalafgan allaient pleurer toute leur vie sur ce jour maudit ? Il regarde la tombe et il sait que son secret est là, devant lui, sous la terre grasse de ce cimetière américain, et qu'il y restera jusqu'à ce que lui, Sullivan Sicoh, décide de le révéler. Il choisira l'heure et le lieu. Et lorsqu'il le fera, il sait que Jasper Kopp pourra enfin crier de soulagement dans sa tombe. Il criera cette honte qui l'a submergé, frappera contre son cercueil, et ce sera bien. Il connaîtra la même déchirure que celle des femmes de Kalafgan et alors seulement on pourra dire qu'ils étaient bien tous ensemble en ce jour, dans le Nord de l'Afghanistan, lui, Jasper Kopp et les mères endeuillées, partageant la même morsure et gémissant de la même défaite.

Il quitte le monde qu'il connaît. Il quitte l'Afrique et il le fait tête basse, se cachant le visage pour pleurer, dans l'exiguïté de sa cabine, à l'arrière de l'*Enterprise* qui navigue sous pavillon britannique et l'emmène à Jérusalem. Hailé Sélassié quitte ses terres sans savoir s'il lui sera donné de les revoir. Il a perdu la guerre, mais bien plus que cela : il a été humilié devant le concert des Nations. Personne ne lui est venu en aide. Il est le premier roi des rois à quitter son pays plutôt que de mourir sur un champ de bataille et il ne saurait dire si cela fait de lui un souverain plus lâche ou plus courageux que ses prédécesseurs. La tête lui tourne. Il a l'estomac noué. La côte s'éloigne et, avec elle, son autorité, ses espoirs. Il sera désormais un roi déchu, en exil. L'Italie fête sa victoire. En ce moment même, les rues d'Addis Abeba sont probablement mises à sac. Il sait le chaos, la peur. On tire des coups de feu, on traîne des corps par terre. On pille, tue, règle ses comptes dans la lâcheté de la nuit. L'Éthiopie n'a plus d'empereur. L'Éthiopie devient folle. Alors lui aussi, il lui semble plonger dans la nuit, celle de l'exil, du froid et des soirées de découragement où plus aucun mot n'apaise. Le monde s'est refermé d'un coup tout autour de lui et il n'est plus qu'un petit homme, inquiet de savoir quand il lui sera donné de revoir son pays et s'il aura alors encore la force de tenir sur ses jambes.

Elle retourne à son bureau, s'assoit et pleure. Elle pense à ces objets : ceux qui seront sauvés, ceux qui sont déjà détruits, ceux qui disparaîtront pendant des années puis resurgiront dans une vente aux enchères à Londres ou à Singapour. Elle pense à Paul-Émile Botta, à nouveau, le découvreur de Dur-Sharrukin. À tout ce qui a été exhumé, répertorié, mis en caisse. Par lui d'abord, puis par son successeur : Victor

Place. À ces cargaisons entières, sorties de l'oubli, du ventre de la terre, et qui devaient rejoindre les galeries du Louvre. Elle pense plus particulièrement à la cargaison de 1855. Deux cent trente-cinq caisses qui descendent le Tigre pour rejoindre Bagdad. Mais le convoi est attaqué et les caisses sombrent au fond du fleuve. Seulement vingt-six furent sauvées. Deux cent neuf sont là-bas, encore, dans les eaux grises du Tigre, déterrées de l'oubli, un temps, pour y replonger presque aussitôt... Elle repense à tout cela. Cette lutte qui semble si vaine, préserver des objets quand le monde tout autour brûle et se déchire, cette lutte, vouée à la défaite sûrement, qui cherche à arracher du néant ce qui, immanquablement, y retournera. Elle pense alors à Assem à qui elle a donné la statue de Bès. Où est-il maintenant? Peut-elle imaginer qu'ayant trouvé la statue, à son départ de Zurich, il l'a sortie avec précaution et l'a caressée comme s'il caressait la part sacrée du temps? Peut-elle imaginer qu'il est parti au Liban en se jurant de revenir à la statue lorsqu'il se serait acquitté de sa mission? Peut-elle imaginer qu'il roule dans une voiture, à Beyrouth, plongeant dans le danger? Que, peut-être, il pense à elle comme elle pense à lui? Elle regarde les boucles d'oreilles sumériennes, elle les touche, essayant d'imaginer la femme qui la première les porta, ce long fil vertigineux qui la relie, elle, aujourd'hui, dans cette ville en chaos, à l'habitante lointaine de Dur-Sharrukin, et elle sait que les objets les regardent comme Bès, le dieu nain, regarde maintenant l'homme qu'elle a aimé, où qu'il soit, et l'accompagne dans le danger.

Il monte dans la voiture. Depuis le rendez-vous de Zurich avec Auguste et Dan Kovac, tout l'amenait à cet instant : le moment où il monte à l'arrière de cette voiture, acceptant de remettre sa vie entre les mains de ces hommes et femmes qu'il ne connaît pas, qui le regardent avec méfiance. L'un d'entre eux, qui a les traits d'un Sud-Américain, le fouille, soulève sans ménagement sa chemise pour vérifier qu'il ne porte rien à la ceinture. Tout cela se fait très vite. Les mots ne sont plus là. Personne ne parle. À l'avant, à côté du conducteur, une jeune femme arabe se retourne parfois pour vérifier qu'il est bien là. La voiture démarre. Il n'a pas peur. Il a fait cela tant de fois. Mais il lui semble quitter un monde qu'il connaît, celui des missions, des assassinats ciblés, des opérations secrètes, pour plonger dans autre chose. Il a le sentiment de s'enfoncer dans des terres barbares, laissant derrière lui les torches du dernier camp scintiller et l'épais silence d'un monde animal l'entourer tout à fait.

V

AL-JNAH STREET

Ils ne lui ont pas bandé les yeux. Personne ne lui parle. Il les regarde à la dérobée : la jeune femme devant lui doit être Maria Casales, la Colombienne. Elle a un tatouage sur l'avant-bras : une croix noire à cinq branches. L'homme à sa gauche, celui qui l'a fouillé, est sûrement Hassan Bahan. Il se souvient d'une photo que lui avait tendue Dan Kovac dans le café de Zurich. Les autres, il ne les reconnaît pas. "Où allons-nous ?" demande-t-il en arabe. Le conducteur le regarde dans le rétroviseur. Un temps long s'écoule sans que personne ne lui réponde, puis le conducteur lâche : "Job vous attend." La voiture prend la direction du sud et traverse Chiayah. Il sait que plus ils descendent, plus il sera en danger. Le quartier chiite de Haret Hreik n'est pas loin. Est-ce là-bas qu'ils l'emmènent ? La voiture roule toujours et le soir tombe sur Beyrouth. Il sent la sueur de l'homme qui est à sa droite. Leurs bras se touchent. Savent-ils qui il est ? Est-ce que Job lui-même l'a deviné ? Et si oui, le leur a-t-il dit ? Ils n'ont pas l'air tendus. Soudain, la Colombienne se tourne vers lui et, dans un anglais prononcé avec un fort accent sud-américain, lui confie : "Quand il parle… Vous verrez…", et ses yeux brillent. Elle lui dit cela avec une

107

gourmandise d'enfant comme si elle avait hâte pour lui, comme si elle l'enviait de pouvoir le rencontrer pour la première fois. Qu'est-ce qui les fédère, ces hommes et ces femmes si différents? Anciens Farc ou militants palestiniens. Égyptiens révolutionnaires ou Syriens ayant fui le régime de Bachar el-Assad. Est-ce l'appât du gain? Leur petit trafic? Le plaisir de régner, comme ça, dans une ville où leurs kalashnikovs leur servent de titre de propriété et de passeport? La voiture ralentit et quitte la grande artère sur laquelle ils étaient. À gauche, il aperçoit un panneau. "Welcome to Haret Hreik." Est-ce par ironie qu'il a été écrit en anglais? Quelle ville étrange… Il va plonger au cœur du quartier chiite, "Hezbollahland" comme on dit ici. Comment un Américain flanqué d'une petite troupe de mercenaires de tous les pays du monde a-t-il pu s'implanter dans le fief du Hezbollah?

Kalafgan est loin. C'est une nouvelle mission. Il a réintégré les Seal Team 6 et est à nouveau Sullivan Sicoh, serré dans un hélicoptère qui file, en pleine nuit, vers le danger. Comme si souvent auparavant dans sa vie. Les blessures sont effacées. Il est au milieu des siens et plus rien d'autre ne compte. Il n'y a pas de peur dans l'hélicoptère. De la concentration, oui. Chaque homme de l'unité se plonge en lui-même, vérifie mécaniquement son matériel, resserre une dernière fois la lanière du casque ou s'assure que sa lunette infrarouge fonctionne, autant de gestes qui permettent de ne penser à rien, d'éloigner le monde extérieur. On leur a fait un dernier briefing juste avant de décoller pour leur dire qui était la cible. Ils ont ensuite été répartis dans deux hélicoptères et ils filent maintenant droit sur Abbottabad. Ils ne sont que des corps, dans les soubresauts de l'appareil, avançant vers le Pakistan. Une fois sur zone, ils investiront une maison dont ils ont appris les plans par cœur. Il faudra faire vite. Il y aura des femmes et des enfants. Des gardes du corps et des échanges de coups de feu probablement. Tout est possible. Ils sont préparés à réagir à toute forme d'aléas. Et Sullivan Sicoh répète ces gestes automatiques, impatient, comme chacun des hommes qui l'entourent, de sauter dans la nuit.

Les rues sont mal éclairées. Un labyrinthe de fils électriques fait une sorte de toit de lianes noires dans les artères. "Vous le connaissez depuis longtemps?" demande Assem à la femme.

"Il n'y a pas besoin de l'avoir vu souvent pour le connaître depuis longtemps", répond-elle avec une sorte de sourire étrange.

Il y a de l'admiration dans sa voix. Est-ce qu'elle sait que Job est un ancien des Seal Team 6? Est-ce qu'elle sait que, lorsqu'elle était Farc, si on avait demandé à Sullivan Sicoh de lui loger une balle dans le crâne, il l'aurait fait sans ciller, parce que c'était son métier : éliminer les ennemis de l'Amérique? Elle ne peut pas l'ignorer. Qu'est-ce qui les lie, alors, elle et tous les autres dans la voiture? Il les regarde. Ceux qu'il a là, à ses côtés, dessinent forcément une sorte de portrait de l'homme qu'il est sur le point de rencontrer. Comment peut-il fédérer des gens aussi différents?

La voiture traverse Haret Hreik. Elle roule plus doucement maintenant. Son voisin de gauche, le

Palestinien, a sorti un 9 mm qu'il tient serré entre ses genoux. Ils ne sont pas chez eux ici. On les tolère. Mais ils savent bien que le quartier peut se refermer sur eux, comme une mâchoire de béton, au gré des accords politiques, des alliances et retournements d'alliances.

Hannibal sait, malgré l'énorme supériorité numérique des Romains, malgré la fatigue de ses propres soldats, qu'il est face à un de ces instants qui font l'Histoire. Sous les casques, sous les armures de cuir, on sue à grosses gouttes. Le soleil assomme les couleurs et semble faire trembler les arbres. La mer, au loin, est immobile. Pas un souffle d'air. Le sol lui-même est chaud, et les lézards, sentant probablement le martèlement inhabituel de dizaines de milliers d'hommes, se sont glissés sous les pierres et ne bougent plus. Il regarde les lignes ennemies : les Romains doivent être deux fois plus nombreux. Chaque jour, ils alternent le commandement. Aujourd'hui, c'est Varron qui a l'étendard. Cela ne change rien. Ils se battent toujours de la même façon : mettant les jeunes recrues devant pour qu'elles ne soient pas tentées de fuir, et les vétérans derrière. Aujourd'hui, tout sera différent. Il sait que, s'il veut vaincre Rome, il faudra qu'il renverse le cours normal des choses, comme Alexandre le fit face à Darius, à Issos ou à Gaugamélès. Il faut être fou. Sinon, il enchaînera les batailles – certaines gagnées, d'autres perdues – et au bout du compte, les forces s'équilibreront. Il faut risquer davantage. Alors il demande que l'on étire la ligne de front. Les Romains doivent scruter la manœuvre. "Encore",

dit-il. Et ce sont ses propres lieutenants qui s'inquiè-
tent : à trop étirer, la ligne de front risque de se bri-
ser, et alors, ce sera la déroute. Oui. C'est le risque.
Mais il demande que l'on étire encore. Et la ligne
sur laquelle se tiennent les Carthaginois est bien
plus longue maintenant que celle des Romains, mais
plus fine aussi et plus fragile. Varron sourit. Il doit
penser qu'Hannibal essaie de compenser le fait qu'il
est en sous-nombre. "La cavalerie lourde chargera
au centre et en premier, dit-il. Il faut faire exploser
leur ligne." Et il ne doute pas que c'est ce qui se pro-
duira. Il sait qu'ils sont plus nombreux. Il croit que
c'est pour pallier ce désavantage qu'Hannibal étire
au maximum sa ligne. Il ne voit pas le génie de la
manœuvre parce qu'il ne voit pas la folie. Il prête à
Hannibal des pensées et des calculs qu'il aurait lui-
même s'il était à sa place. La raison veut que les Carthaginois ne puissent pas envisager d'autre plan que
d'essayer de faire face, en priant pour ne pas être
balayés par la charge de la cavalerie. Percer le front.
Tout se résume à cela. Et Varron s'y attelle. Il est
heureux que la bataille advienne un jour où c'est à
lui qu'a été confié le commandement suprême, car
alors c'est son nom que l'on prononcera au sénat.

Hannibal donne ses derniers ordres. Il est calme.
Il demande comment s'appelle la rivière qui coule
plus loin : "L'Olfanto", lui dit-on. Bien. Il annonce
à ses hommes que Maharbal dirigera la cavalerie
légère, Hasdrubal la cavalerie lourde, et que lui restera au centre avec les fantassins celtes et espagnols.
C'est là que tout se décidera. À l'instant de donner
l'ordre d'engager la bataille, tandis que les consuls
romains Varron et Paul Émile sourient parce qu'ils
ont hâte d'en finir, il sent, lui, que ce jour est un de

ceux où l'enchaînement des choses tient de la grâce. Est-ce l'Histoire qui se saisit du cours des choses et écrit le monde pour quelques instants, déjouant les plans et surprenant les vivants? Est-ce la chance? Les Romains chargent. De toute leur puissance. Ils veulent venger les défaites de Tessin et de Trasimène. Ils veulent faire oublier la peur qui, depuis des mois, ronge Rome. Les Romains chargent et Hannibal est resté là où va avoir lieu le coup d'estoc. Il faut recevoir la charge et ne pas rompre la ligne. Il regarde une dernière fois ces quatre mille mercenaires celtes et ibères au visage épais, aux yeux clairs, qui plantent leurs pieds au sol, et voient les cavaliers s'approcher avec peur. C'est eux, aujourd'hui, qui décident de l'Histoire, eux qui ne sont pas même carthaginois. L'impact est terrifiant. Les chevaux entrent de plein fouet sur le mur de défense. Ils sont si nombreux… Hannibal hurle à ses troupes de reculer un peu. Il faut amortir le choc et laisser les Romains avancer. Tout est là : faire croire à Varron que la ligne recule sous le choc, qu'elle est près de se rompre, pour qu'il avance encore, qu'il insiste, qu'il engouffre tous ses hommes dans l'espoir de parvenir enfin à fissurer le mur. Les Gaulois doivent tenir, arc-boutés contre des chevaux, boucliers fendus par la force du galop, tenir, et reculer pour que le piège fonctionne. Et c'est ce qui se produit. Hannibal le sent. C'est le sourire du ciel. Dans cette chaleur effrayante qui fait chauffer les casques et plisser les yeux, tout s'enchaîne comme si c'était lui-même qui indiquait au destin le chemin qu'il doit prendre. Les Gaulois tiennent, tout en reculant. Les Romains avancent, aveuglés par leur force. Ils ne voient pas que la défense n'a pas cédé. Ils ne voient pas qu'ils se sont trop enfoncés et que maintenant, d'un coup, parce qu'Hannibal l'a ordonné, les ailes carthaginoises se referment sur eux. Cette longue ligne trop étirée, qui semblait tout à l'heure si fragile, les encercle. Et la cavalerie lourde menée par Hasdrubal les heurte de plein fouet, leur trouant les flancs. Varron blêmit. Il voit le piège mais il est trop tard. Il balbutie, veut réagir, n'y croit pas encore, pense peut-être qu'il s'agit d'un revers, qu'il va pouvoir se reprendre. Mais la bataille est perdue. On vient de lui annoncer que Paul Émile est mort. Alors il comprend que tout a changé, que c'est une éclipse, qu'il vient d'être balayé et que ce n'est pas son nom que l'on prononcera au sénat demain, mais celui d'Hannibal, avec terreur.

Elle a demandé au directeur de l'Institut s'il était possible de visiter la citadelle d'Erbil. Il a eu l'air surpris. Il le lui avait pourtant proposé à son arrivée : "N'hésitez pas, surtout… Dara connaît bien le site et nous avons quelques privilèges…", mais il l'avait fait de façon un peu formelle, persuadé qu'elle n'aurait pas le temps, et maintenant il est tard et cette demande lui semble quelque peu incongrue. Il tente de lui proposer d'aller plutôt au restaurant mais elle insiste avec un visage qui – sans être impoli – s'est refermé. Il accepte alors, donne quelques coups de fil pour faire venir à l'Institut le dénommé Dara. Elle attend patiemment. Elle sent la fatigue s'emparer d'elle. Elle a passé la journée à recueillir des témoignages et tous disent la même chose : la peur, le visage profond de l'effroi face à ces hommes dont le surgissement signifie l'éclipse de notre monde. Tout sera brûlé. Ils sont venus pour régner, s'emparer des villes, des corps, des esprits. Elle a recueilli peu d'informations sur le musée parce qu'on lui a parlé surtout du reste : le défilé dans les rues de Mossoul, les drapeaux noirs qui flottaient, les haut-parleurs qui annonçaient la nouvelle vie qu'il faudrait mener. Son pays se disloque : envahi par le Nord et rongé par le chaos au Sud. Elle est dans une ville, Erbil, qui ne veut plus être irakienne. Il en sera bientôt de l'Irak comme de la Yougoslavie : un pays qui disparaît. Et elle, la Bagdadi, devra se trouver une autre nationalité. Son pays, déchiré comme un linge sur lequel on tire de toute part. Mais a-t-il jamais existé, ce pays ? Celui-là, tel qu'il a été dessiné, pensé, tracé par Churchill, Lawrence et Gertrude Bell ? Est-ce que cela a jamais été autre chose qu'un rêve de pays, posé avec autorité dans une région parcourue par d'autres tensions, d'autres mouvements ? Elle est en Mésopotamie. Cela a existé. Et c'est peut-être pour cela qu'elle veut voir ce soir, avec urgence, la citadelle d'Erbil. Et lorsque Dara gare sa voiture au pied du site et qu'ils commencent l'ascension de ce bloc qui domine les souks, elle sent qu'elle s'extrait du chaos, des pleurs. Elle quitte les voitures, les récits de panique, tout ce qui brûle autour d'elle, et cela lui fait du bien. Le soir tombe et il ne fait plus aussi chaud qu'en journée. Ils arrivent aux abords de l'entrée et Dara commence à parler, voulant probablement faire le guide, croyant que c'est ce qu'on attend de lui : qu'il explique, commente, dise ce qu'il sait. Elle regarde une dernière fois la ville à ses pieds, vivante, grouillante, la ville s'animant de la promenade du soir, et puis elle fait un signe de la main à Dara, comme pour lui dire "Non merci" ou quelque chose comme ça, et elle glisse, à voix basse : "Je vais faire quelques pas toute seule…", pour qu'il comprenne bien qu'elle ne veut rien, n'attend rien de lui, et elle s'enfonce dans les rues de cette petite ville déserte, en cours de réhabilitation, comme une ville fantôme. Elle plonge avec soulagement dans le silence. Une fois dans cet entrelacs de ruelles, elle ne voit plus la ville d'Erbil et n'entend plus aucun son. C'est comme si elle avait plongé ailleurs. La nuit semble plus épaisse. Elle marche, sentant progressivement la faiblesse s'emparer de ses membres. Quelque chose dans les mollets, au bout des doigts, dans les cuisses, qui semble défaillir. Ce n'est pas de la fatigue, cela vient de plus loin. C'est la maladie, elle le sent, qui prend possession d'elle, lentement, inexorablement. Elle ne veut pas s'arrêter. Elle poursuit, parcourt les petites rues de cette ville vide qui semble comme un corps mort, cette ville construite en briques de terre et qui attend peut-être le retour des armées parties il y a des siècles. Tout est calme. Est-ce qu'elle s'enfonce dans la mort ? Si elle le fait, c'est avec sérénité. Elle repense à Darius. Pourquoi lui ? Peut-être parce qu'elle a laissé à l'entrée de la citadelle un homme qui portait ce même nom, ce nom qui, comme les objets qu'elle essaie de sauver, traverse les âges. Darius, battu à Gaugamélès, Darius, pâlissant devant la vigueur, le génie et la beauté d'Alexandre et qui fuit le champ de bataille, abandonnant sa femme et ses enfants pour venir se réfugier ici, à Erbil, avant de poursuivre sa fuite jusqu'à Samarcande. Le sol, ici, a connu bien des vaincus. Ceux qui voient leur monde disparaître et découvrent, avec stupeur, qu'il n'y aura plus d'endroits où se cacher. Elle repense à toutes ces fouilles pour essayer d'exhumer le passé – et pourquoi, au fond ? Est-ce que les vivants ont le temps de l'apprendre, ce passé ? Est-ce qu'ils ne sont pas tout entiers dans la lutte intense, quotidienne, de la vie ? Et pourtant, au péril de sa vie, le vieil homme kurde qu'elle a vu cette après-midi a sauvé une paire de boucles d'oreilles… Elle ne sait pas si elle aura la force de revenir en arrière. Elle sent qu'elle devrait s'asseoir et appeler, mais elle ne le fait pas. La tête lui tourne. Ses oreilles bourdonnent. Son champ de vision se rétrécit. Elle pose une main sur la façade d'une de ces maisons vides, essaie de respirer calmement. Elle sent qu'elle est livide, à cet instant. Mais elle tient. Ne s'assied pas, de peur de ne plus parvenir à repartir. À qui sera cette ville dans quelques mois ? Le Kurdistan a l'air armé pour résister à l'avancée de l'État islamique, mais qui aurait pu prédire la chute de Mossoul ? Et qui sait si Erbil ne tombera pas aussi un jour ? Peut-être les hommes en noir planteront-ils leurs drapeaux sur le toit de la maison sur laquelle elle s'appuie à l'instant ? Les empires croissent, prospèrent et tombent. Ceux qu'on croyait bâtis pour toujours se délitent et Darius, en quelques heures, ne sait plus où fuir. Est-ce qu'elle va mourir ? Ce corps qui lui échappe, cette faiblesse qui lui donne l'impression de ne plus avoir de prise sur ses propres muscles, est-ce que c'est cela qu'il lui annonce : qu'elle va tomber ? Qu'aura-t-elle fait, alors ? Elle se sera battue toute sa vie pour des objets vieux de siècles entiers qu'il fallait sauver du néant et se passer de main en main, comme des objets brûlants que chaque génération conserve. Et pourquoi n'auraient-ils pas eu le droit au sable, à la terre et à l'engloutissement, ces objets ? Est-ce que ce n'est pas le sort que vont connaître toutes les femmes et tous les hommes qui s'agitent à ses pieds en ce moment, dans les souks d'Erbil, réfugiés ou non,

Irakiens ou Syriens? Est-ce que ce n'est pas ce qu'elle va connaître elle-même : l'engloutissement et l'oubli? Elle se sent défaillir. Elle a le temps encore de penser à la statue de Bès qui lui a été donnée par Marwan et qu'elle a glissée dans la valise d'Assem et elle est heureuse de l'avoir fait. C'est comme de remettre un de ces objets dans le cercle de la vie. Pas comme elle le fait depuis vingt ans : conserver, protéger, étudier. Non, replonger un objet dans le Hasard. Est-ce que la statue de Bès va être détruite? Assem va-t-il la vendre chez un antiquaire? Ou la perdre dans un de ses voyages? Peu importe. La statue de Bès connaît à nouveau la course du sort comme un objet qui flotte dans un torrent et c'est bien. Elle entend une voix qui l'appelle dans son dos. Une voix qu'elle ne reconnaît pas. "Madame Mariam… ? Madame Mariam… ?" Comme si la ville elle-même l'appelait… Non. C'est Dara. Elle le comprend… Dara qui doit la voir vaciller, Dara qui s'approche en courant, et crie lorsqu'elle s'évanouit et tombe au sol.

Le pilote vient de les prévenir qu'ils ne tarderont pas à être sur zone. Ils respirent profondément. Dans quelques minutes, ils seront au cœur de l'action. Dans quelques minutes, ils sauront si cette maison est la bonne. Plus tard – mais cela lui semble si lointain –, le jour commencera à se lever et fera apparaître aux yeux de tous leur défaite ou leur victoire. Ils sont à quelques minutes de savoir, à quelques minutes, et Sullivan Sicoh ajuste son casque, sans hâte, avec un sang-froid profond, prêt à faire ce qu'il a appris à faire depuis des années : frapper et disparaître.

La voiture prend maintenant la direction de la mer. Assem entend un avion décoller au loin. D'après ses calculs, l'aéroport est à gauche, plus au sud. Des gens s'en vont, propulsés dans les airs à des centaines de kilomètres-heure, voyant en quelques secondes la ville s'éloigner, rapetisser, devenir jolie parce que lointaine, scintillant de petites lumières dont on ne voit plus qu'elles éclairent des quartiers insalubres. Il y est, lui, plongé dans ces rues mortes, abandonnées du monde. Il a peur. Il sent ses mains devenir moites. La voiture arrive sur la côte. Al-Jnah Street. Ils sont tout près de l'aéroport. Il la connaît, cette peur, il sait qu'il doit la laisser entrer en lui parce qu'elle peut lui être utile. Elle lui donnera de l'instinct et de la vigueur. Elle lui rendra les sens plus alertes. Il est venu de loin pour cet instant. La voiture parcourt Al-Jnah Street. Sur tout le côté, des petites maisons en béton regardent la mer, accrochées à cette terre comme une fourmilière. La plupart n'ont pas de toit. On a mis des tôles ondulées dessus et, sur les tôles, des pneus pour qu'elles tiennent lorsque le vent se lève. On les brûlera à l'occasion, si les sunnites des quartiers nord veulent en découdre. Et puis soudain apparaît une maison plus vaste que les autres. Il voit tout de suite, sur la terrasse, un homme qui fait le guet, un fusil d'assaut en bandoulière. C'est ici. La voiture se gare. Les passagers en sortent, sauf le Palestinien, qui reste avec lui. Il entend des voix qui appellent dans la nuit. Le coffre claque. La petite Colombienne a sorti un fusil-mitrailleur elle aussi, et vient ouvrir la portière tout en regardant les maisons alentour. On lui fait signe de sortir. Il retrouve l'air de la mer, épais. Il respire un grand coup. Il est venu de si loin pour rencontrer l'homme qui l'attend dans cette maison, entouré de cette garde improbable de guérilléros. Il a retrouvé son calme. Il sait ce qu'il a à faire. Il a répété si souvent dans sa tête ces instants, essayant d'anticiper tous les possibles. Et maintenant, il a hâte, hâte de voir Sullivan Sicoh que plus personne n'appelle ainsi, Sullivan Sicoh qui fait trembler ses amis et règne sur la rue Al-Jnah des quartiers sud de Beyrouth comme un narcotrafiquant ou un révolutionnaire en son fief. Il a hâte car il sait que l'homme qui va le recevoir l'attend lui aussi depuis longtemps et plantera ses yeux dans les siens sans masque. Il monte les quatre marches du perron sans hésiter, sans même remarquer les hommes et les femmes qui ont surgi comme des ombres, dans le jardin ou sur les terrasses, véritable armée qui semble veiller sur la nuit avec l'attention des chats.

Les deux hélicoptères sont à la verticale de la cour. Ils sont sur le point de se poser. Les hommes sont prêts à jaillir dès qu'ils sentiront le contact du sol. Soudain l'hélicoptère dans lequel est Sullivan Sicoh est violemment déséquilibré. Les hommes sont projetés dans un sens puis dans l'autre. Ils savent qu'il se passe quelque chose qui n'est pas prévu mais ils n'ont pas le temps d'avoir peur ou de se demander ce qui a causé ce mouvement brusque. Pas le temps de s'inquiéter du fait que l'hélicoptère soit cassé et ne puisse peut-être pas redécoller. Ils se sont entraînés pour courir jusqu'à la bâtisse qui est devant eux et c'est ce qu'ils font, sortant par petits groupes, et tant pis si le pilote jure entre ses dents qu'il s'en est fallu de peu que l'appareil ne s'écrase ou ne pulvérise l'hélice de l'autre appareil, peu importe, les hommes sont déjà loin…

Sur la terrasse, un homme monte la garde. Il est plus âgé que les autres et porte une barbe en broussaille. Il lui fait signe d'écarter les bras et les jambes. Il le fouille minutieusement, puis lui glisse "Il vous attend" et ouvre un des deux volets de la double porte vitrée en le laissant s'avancer, comme si lui n'avait pas le droit d'aller plus loin et le regrettait – avide du privilège accordé à cet étranger. Assem entre. La maison est plus vaste qu'il ne l'imaginait. Un grand escalier central mène à l'étage. Il se dégage du salon quelque chose de suranné. Qui habitait ici, avant que les hommes de Job ne prennent possession des lieux? Aucune porte latérale ne lui indique un autre chemin que l'escalier. Il monte. Une fois en haut, il se retrouve dans une salle où les fenêtres sont ouvertes et laissent passer l'air de la mer. Au fond d'une enfilade de pièces – toutes plongées dans l'obscurité, toutes vides, toutes décorées de vieux meubles qui semblent avoir été oubliés ici depuis des siècles, il aperçoit de la lumière et entend comme un rire et des bruits de verre.

Sullivan Sicoh avance, traquant à travers ses lunettes infrarouges la moindre présence humaine. Il va vite. Il sait que deux camarades le suivent comme des ombres. Ils le couvrent, le protègent. Ils sont unis tous les trois parce qu'ils voient dans la nuit comme des chats, parce qu'ils ont calqué leur foulée les uns sur les autres et avancent au même rythme, parce qu'ils pénètrent dans ce bâtiment qu'ils découvrent mais qu'ils connaissent déjà pour en avoir étudié les plans avec minutie. Ils sont unis parce qu'ils ont le doigt sur la gâchette et sont prêts à tirer, sans affect, sans même s'arrêter de progresser. Il faut avancer, aller jusqu'au point qu'on leur a attribué, à l'étage, au fond du couloir, dans la chambre. Ils sont unis par le bruit de leurs bottes sur le gravillon de la cour qui crisse, parce qu'ils entendent au même moment des coups de feu tirés par les armes des autres membres de leur unité, ils sont unis parce qu'ils n'ont pas le temps de s'interroger sur ce qui se passe. Sullivan Sicoh avance. Ce qui se joue là est une chasse à l'homme et il va tout faire pour débusquer le gibier. Ils marchent tous les trois en groupe compact, montent à l'étage, parcourent un long couloir jusqu'à cette dernière porte, celle derrière laquelle se trouve celui qu'ils sont venus tuer, celui dont toute l'Amérique veut la mort. Alors sans hésiter, sans perdre une minute, parce que son corps sait qu'il faut être rapide, ne pas laisser à l'ennemi le temps de réagir, Sullivan Sicoh défonce la porte avec brutalité et entre dans la pièce…

"Venez… venez… Approchez que je voie qui ils m'envoient…"

Assem a avancé, traversé lentement toutes ces pièces, puis est parvenu enfin à une grande terrasse couverte qui donne sur la mer. Il y a là deux canapés en angle droit, une table, un fauteuil et, le fixant de ses yeux perçants, un sourire sur les lèvres, Job, un verre de whisky à la main. Il a parlé en anglais avec cet accent un peu traînant du Sud des États-Unis.

Assem a fait un pas et maintenant son visage est dans la lumière. Avant même qu'il ne puisse dire quoi que ce soit, Job lui demande : "Est-ce que c'est vous qui l'avez tué ?"

Il ne répond pas, surpris de la question, de l'accueil débonnaire de l'homme. Il essaie de regarder s'il y a d'autres gens qu'eux deux sur cette terrasse, si Job est armé... Il essaie d'évaluer la hauteur et s'il peut sauter de la terrasse au cas où... Et il voit bien que Job le scrute et le voit faire. Il y a ce qu'il dit, la question posée avec cet accent traînant, il y a les bras qui s'ouvrent, le visage éclairé de lumière avec ce sourire étrange – comme s'il n'était pas adressé à l'homme qu'il avait face à lui, un sourire de bonze plutôt –, mais il y a aussi ces yeux clairs, vifs, qui n'ont rien perdu de l'arrivée de son hôte et l'évaluent. "Est-ce que c'est vous qui l'avez tué ?" Il n'a pas répondu, ne sait pas à quoi Job fait allusion, mais l'autre ne lui laisse pas le temps de parler, il fait un geste de la main, comme pour signifier qu'il peut attendre... "Je suis sûr que c'est la question qu'on vous a le plus posée... Je connais cela. Disons que cela nous fait une expérience commune." Et il s'assoit dans le fauteuil, tournant un instant le dos à Assem, le faisant presque lentement, comme s'il voulait lui signifier qu'il n'a pas peur, que son dos, il le lui offre, que rien en lui n'est atteignable. "Whisky ?" Il pose la question mais il est trop loin pour servir son hôte. D'ailleurs, il a plongé son regard dans la mer, semble envoûté, très loin d'un coup de cette terrasse, d'Assem, très loin de la question qu'il vient de poser et de toutes celles qu'il posera. Assem s'approche de la petite desserte à roulettes et se sert un verre. C'était donc cela. L'expérience commune. Il parle de Syrte.

122

De la mort de Kadhafi. Il en parle parce qu'il a, lui, participé à la traque de Ben Laden. Et s'il lui retournait la question? Est-ce lui qui a tiré? Non... Il ne demandera pas. Qu'est-ce que cela peut faire...? Ils étaient deux ou trois à progresser dans ce couloir de la maison d'Abbottabad. Ils étaient six ou dix dans le premier hélicoptère. Et dix encore dans l'autre. Tous équipés de lunettes infrarouges, tous prêts à tirer. Qu'est-ce que cela change que ce soit lui, au fond, qui ait tiré? Ils l'ont fait tous les vingt.

Assem n'a pas encore parlé mais il a le sentiment d'être sur cette terrasse depuis des heures déjà. Il regarde Job. Il se souvient des photos qu'on lui a montrées à Zurich, celles prises au milieu de ses camarades du temps où il était encore Sullivan Sicoh. Il le regarde maintenant : le corps a maigri, les rides se sont creusées, mais il a une sorte de profondeur dans les yeux qu'il n'avait pas, une inquiétude, une épaisseur. Il est torse nu, le poitrail recouvert d'un long collier en bois que l'on dirait africain, plusieurs bagues aux doigts et les cheveux en bataille.

"Est-ce que vous étiez prêt à vous faire tuer ce jour-là?" demande alors Job avec une voix sourde et Assem sent que cette question a valeur de test, que s'il n'y répond pas honnêtement, l'entretien sera fini.

"Oui."

Job fait la moue, savourant cette vérité, la laissant flotter dans l'air. Puis, il ajoute : "Moi aussi. Bien sûr. Mais j'ai senti que c'était la dernière fois..."

Qu'est-ce qui l'a changé, durant cette mission à Abbottabad? A-t-il eu plus peur que durant les autres missions? Est-ce à cause de l'identité de celui qu'ils ont abattu ce jour-là? Ou parce qu'un des deux hélicoptères s'est crashé contre le mur de la cour et qu'il a cru mourir?

"Qu'est-ce qui nous fait obéir, lieutenant, vous le savez? Vous êtes lieutenant, n'est-ce pas...? J'ai servi sous les ordres de McRogan, on a dû vous le dire. J'ai vu Abou Ghraïb avant que tous ne découvrent les crasseries que nous faisions là-bas... J'ai fait des virées pour aller cueillir en pleine nuit des types que l'on tirait de leur baraque à moitié nus et qui mouraient sans dignité en se chiant dessus... Comme vous, je suppose... Qu'est-ce qui nous faisait obéir, lieutenant? Certains croient qu'on jouit en faisant ça... Vous savez bien que non. McRogan, je ne l'aimais pas. C'est la stricte vérité. Mais je me serais fait tuer pour lui. Je le jure. Dans ces instants-là, si l'occasion s'était imposée, je me serais mis entre la balle et lui... Pourquoi?"

Il finit son verre d'une traite, puis garde le silence. Alors Assem sent qu'il peut poser sa question et il le fait d'une voix douce, presque prévenante :

"Qu'est-ce que vous faites là, Job?" Et il veut dire : Qu'est-ce que vous faites là, dans cette ville qui n'est pas la vôtre et qui vous crachera hors d'elle lorsqu'elle se sera lassée de vous? Qu'est-ce que vous faites là, dans cet accoutrement improbable, sur cette terrasse, entouré de révolutionnaires qui n'en sont pas?

"Ah..." répond l'homme en levant la main, comme si enfin Assem avait posé la bonne question, et il plisse les yeux avec malice.

Hannibal contemple la plaine. La mer n'a pas frémi. La chaleur tombe doucement. Il a la tête encore pleine des chocs et des contre-chocs, des cris, des chutes de corps, du sifflement des flèches, de la course des chevaux. Trois heures que des hommes se tuent. Il contemple la marée de corps qui l'entoure. Tous romains... Il ne le sait pas encore, ne le saura peut-être jamais avec une telle précision, mais quarante-cinq mille Romains gisent à ses pieds. Ils gémissent encore, bougent parfois, implorent qu'on les achève ou qu'on les soigne, continuent à suer tandis qu'ils saignent. Quarante-cinq mille morts. Ses hommes à lui ont mal au bras d'avoir tant frappé. Ils n'ont eu qu'à refermer le piège et massacrer, un à un, tous ceux qui étaient pris dans leur filet. Cela a mis du temps. Et maintenant, il ne reste à Cannes, sur les bords de l'Olfanto, qu'une lumière de fin de journée douce, caressante, et une marée de corps. Des litres, des hectolitres de sang nourrissent la terre. Et il y en a tant qu'elle ne parvient plus à boire. Quarante-cinq mille hommes qui se vident en même temps. Quarante-cinq mille corps sectionnés, ouverts, ça pue. Un vaste mouroir qui chauffe au soleil. Car même s'il décline doucement, le jour est encore chaud. C'est l'été. Les pierres sont brûlantes de toute la chaleur accumulée dans la journée. Quarante-cinq mille corps qui mettent des jours, des semaines à se décomposer. Elle est là, sa victoire : laide comme une boucherie sans nom. C'est le plus grand massacre de l'Histoire. Jamais aucune bataille ne fera autant de morts en si peu de temps. Il regarde les hommes à ses pieds. Ils en ont perdu dix fois moins que les Romains, mais ils ont perdu ceux à qui ils doivent la victoire : les Celtes. Alors, il se penche, touche parfois la main de l'un d'entre eux, raidie de mort, car la gloire, c'est d'eux qu'il veut la recevoir. Bientôt le sénat apprendra la nouvelle. Bientôt Carthage fêtera son audace. Il sera, à jamais, celui qui a gagné à Cannes et a renversé le cours des choses. La victoire qu'il attendait depuis si longtemps, depuis le jour où il a traversé le détroit de Gibraltar et bien avant, même, depuis que son père lui racontait comment il avait pris et tenu le mont Pellegrino en Sicile, sa victoire, elle est là, mais il veut se souvenir que ce sont des morts qui la lui offrent. Il en est toujours ainsi et malheur à celui qui l'oublie. Les grandes batailles qui restent dans les mémoires sont des charniers atroces qui font tourner les oiseaux. Est-il fier de cela ? Des quarante-cinq mille Romains qui gisent à ses pieds ? Peut-on l'être vraiment… ? Il veut se souvenir des viscères qui se mêlent au vent de l'été car si l'Histoire a un parfum, c'est celui-là.

"Vous aimez les reliques, lieutenant ?"

Assem ne comprend pas. Il est toujours désarçonné par les questions de Job. Et, plus que par la question, par la joie avec laquelle Job la pose. Comme s'il était profondément heureux d'avoir cet entretien nocturne avec lui, comme si ce moment de nuit partagé dans cette maison d'Al-Jnah Street était un instant de grâce. Il sait pourtant pourquoi Assem est là. Il ne peut pas l'ignorer. Et malgré cela il y a quelque chose d'un vrai bonheur qui le parcourt lorsqu'il pose sa question, comme s'il était en train de parler avec un très vieil ami. Il a plissé les yeux et attend une réponse. Voyant qu'Assem ne sait que dire, il sort de sous son fauteuil un os qu'il brandit. C'est un tibia. Vu la taille, ce ne peut être qu'un os humain.

"Qu'est-ce qui fait qu'un os devient une relique ? demande-t-il d'un ton sérieux. Vous y avez déjà pensé à cela? Moi, oui. Et voici ma réponse. Il faut deux ingrédients : la brutalité et le sacré."

Puis il baisse son bras et remet l'os sous son fauteuil. À partir de cet instant, Assem sait qu'il ne contrôlera plus rien, qu'il doit accepter de se laisser guider par Job, que c'est lui qui mène l'entretien et qu'il parlera jusqu'à l'amener au point précis qui l'intéresse. À partir de cet instant, il sait que la nuit va être ouverte au ciel, qu'elle sera longue, infiniment longue et qu'il aimera cela. Il se dégage de Job un mélange étrange de délabrement et de puissance. Il n'a plus le corps affûté qu'il avait sur les photos où il posait au milieu des autres hommes du commando, mais sa voix porte en elle une force lourde, inébranlable. Il sent que Job l'emmène loin de sa mission, qu'à cet instant les inquiétudes de la CIA sont dérisoires. Il est ailleurs.

"L'Histoire pue. N'est-ce pas, lieutenant? Vous et moi, nous le savons, parce que son odeur, on l'a encore dans le nez, pas vrai?"

Pourquoi est-ce qu'il revient sans cesse à Syrte? Car c'est bien de Syrte qu'il parle… Est-ce que c'est pour essayer de le déstabiliser? Ou pour créer une sorte de connivence entre eux, lui montrer qu'il connaît son parcours, les épreuves qu'il a traversées? Il reconvoque toujours ce moment-là. Pour que la foule en colère réinvestisse son esprit et qu'il ressente la chaleur et la peur de cette journée? Parce qu'il a senti que c'était sa faiblesse et que ce qui se joue là, sur cette terrasse, est un combat? Ou est-ce parce que lui-même est hanté par des souvenirs similaires et qu'il a besoin d'un acolyte pour pouvoir les affronter?

"Vous avez gagné, lieutenant? En Libye, ce jour-là… Est-ce que vous diriez cela : j'ai gagné? Je ne vous parle pas de la France. Mais de vous, personnellement. Vous avez senti la victoire ?"

Il sait bien que non. Il n'a pas besoin de répondre. Assem réfléchit. La victoire, l'a-t-il jamais sentie ? Le sentiment d'avoir accompli sa mission, oui. Durant l'opération Serval, souvent. Lorsqu'il donnait les coordonnées précises d'une des high value target à un avion de chasse et qu'il entendait l'appareil fendre le ciel et, quelques secondes après, les explosions au loin, puis le message radio, "Cible neutralisée"… Mais la victoire ? Non. Job continue, comme s'il était absorbé par des images resurgies. Il parle à voix basse maintenant.

"Vous avez vu Kyle et Maddox ? Les héros de l'Amérique…"

Oui, il a vu Kyle. Le sniper célébré par tout un pays. L'homme aux cent dix-sept victimes. Et Maddox qui a réussi à faire parler ceux qui cachaient Saddam Hussein. Qu'est-ce qu'il veut dire ? Qu'il est injuste que le pays ne se souvienne que d'eux et pas de lui… ?

"Nous avons choisi l'ombre, Job. Vous le saviez dès le début…" répond Assem.

Job sourit de la remarque.

"Non… Vous ne comprenez pas… Je ne les envie pas. Vous savez ce que je vois, moi, quand je regarde Maddox ? Vous l'avez vu, lors des grands-messes qu'il tient où il raconte son expérience, micro attaché à l'oreille ? Un one-man-show. On dirait un évangéliste. Il sillonne les États du Sud. Kansas. Louisiane. Tout le monde est prêt à payer pour écouter le génie de l'interrogatoire… Foutaises… Ce que je vois, moi, c'est la défaite. Sa vie s'est arrêtée le jour où Saddam Hussein a été extirpé de terre, hirsute, avec sa tête de satyre et tous ses billets autour de lui… Et il l'a su tout de suite, j'en suis certain. Il perdait son grand ennemi. Il n'allait plus rester que les conférences dans les salles polyvalentes et les parcs des expositions. Pareil pour Kyle. Le sniper des États-Unis… Tu parles! La vraie histoire, ce n'est pas celle du nombre d'hommes et de femmes qu'il a abattus. La vraie histoire, c'est la misère de sa fin. Tué par un autre Américain, qui avait fait l'Afghanistan et était parti volontaire en Haïti après le séisme et qui en est revenu fou. L'Amérique est là… Dans ces deux hommes. Le fou tue l'autre parce que le pays tue ses enfants. Et c'est toujours la défaite. Et peut-être même que Kyle a été soulagé au moment de mourir parce qu'au moins, ainsi, il mourait en héros. Peut-être que Maddox ne demanderait que cela… Qu'on l'abatte et qu'on lui épargne les années à venir où il continuera à raconter toujours la même histoire, avec son micro et ses mauvaises blagues, à un public qui aura oublié toujours un peu plus qui était Saddam Hussein et ce que les Américains foutaient là-bas…

— Vous avez senti ça, vous, à Abbottabad? La défaite?"

Job ne répond pas tout de suite. Il sourit doucement à la nuit – ou est-ce une grimace…? – et puis il se tourne vers Assem et lui demande :

"Qu'est-ce que l'on a à opposer à tout cela, lieutenant…?"

Assem se tait. À cet instant, il pense à Shaveen, devant l'entrée du camp de Kawergosk, cette jeune Kurde si belle qui tenait son fusil avec détermination et ses cartouches en bandoulière. Dans la lumière qu'elle portait sur le visage, il avait senti qu'elle ne connaîtrait jamais la mélancolie du combat. Était-ce à cause de sa jeunesse? Ou parce qu'elle croyait profondément à la cause kurde, corps et âme? Était-ce parce qu'elle savait qu'elle était tout ce que ses ennemis détestaient : une femme aux longues tresses noires, ne portant pas de voile et qui se battait comme un homme? Elle était ce qu'ils voulaient museler et, si elle tombait entre leurs mains, ils la détruiraient. Alors pour elle, vivre, c'était vaincre. À chaque heure du jour et de la nuit. Quand elle allait au front, quand elle en revenait, tant qu'elle vivait, elle était victorieuse et son existence seule les giflait comme un outrage. Le sourire de Shaveen emplissait son esprit, mais il ne dit rien à Job. C'est cela qu'il a à opposer à la médiocrité des victoires, à Maddox et à ses shows pitoyables, à ses blagues mille fois répétées et ses effets de manche, mais il ne veut pas le dire, il ne veut pas partager Shaveen avec Job. Il sent que, s'il le fait, l'autre salira ce souvenir et cela lui sera insupportable. Ou peut-être est-ce parce qu'il sait que l'homme qu'il a en face de lui s'est accroché, lui aussi, à des visages semblables mais a fini par ressentir qu'au fond ils ne valaient pas mieux que le reste, ne représentaient pas une muraille plus forte contre la défaite et que, s'il lui parle de Shaveen, Job sourira et lui expliquera en quoi elle ne le protégera de rien – et il ne veut pas, lui, être dépossédé de cette image, alors en guise de réponse, il lance à l'Américain :

"Vous avez décidé de faire quoi, Job? De jouer votre propre jeu? De vous affranchir?"

L'autre le regarde avec calme.

"Je suis content qu'ils vous aient envoyé, lieutenant, dit-il en souriant. Parce que vous comprenez, vous. Cela nous offrira de belles discussions à venir…"

Assem se demande si c'est une façon de lui signi-fier que l'entretien touche à sa fin. Il réalise qu'il n'a rien dit de ce qu'il avait préparé, alors il reprend, en se souvenant de sa mission :

"Nous n'avons pas parlé de ce qui m'amène ici.

— Mais si… Bien sûr…, répond l'autre, nous n'avons même fait que cela." Puis, après un long temps, il ajoute : "Vous pensez vraiment que la CIA s'inquiète du petit trafic d'antiquités auquel j'ai pu me livrer de temps en temps…? C'est autre chose. Ils ne vous l'ont pas dit…? Bien sûr que non. Ils vous ont laissé venir me flairer en se disant que moins vous en sauriez, mieux ce serait. C'est vous insulter… Mais je leur suis reconnaissant de vous avoir choisi, vous. Cela aurait pu être tellement plus décevant…"

L'homme, soudain, a l'air saisi d'une profonde fa-tigue. Il soupire. Ses traits sont tirés. Il se lève et regarde longuement la mer au loin. Assem ne voit plus ses yeux mais il entend sa voix :

"Nous allons nous revoir, lieutenant… Puisqu'ils ont décidé, en quelque sorte, de me confier à vous…"

À cet instant, comme si tout était orchestré à l'avance, comme si, par une sorte de télépathie avec la nuit et avec ses hommes, Job pouvait décider de tout, l'Égyptien qui lui avait indiqué le chemin appa-raît sur la terrasse. Il fait un petit signe de la tête à Assem pour lui signifier que l'entretien est terminé et qu'il doit maintenant le suivre.

"Dans trois semaines, dit alors Job, installez-vous à l'hôtel Ménélik à Addis Abeba. Nous reprendrons notre conversation… Si les mots ne nous ont pas quittés d'ici là…"

Il a ajouté cette dernière phrase avec mélancolie, comme s'il pressentait des naufrages à venir, mais aussi avec une sorte de malice – comme s'il connaissait les interrogations intimes qui parcourent Assem. Le Français reste interloqué. Il se dirige vers la pièce, attend de voir si Job va se retourner – il se surprend à l'espérer – et au moment où il se résout à quitter la terrasse, la voix de Job retentit une dernière fois, plus forte cette fois et presque menaçante :

"Pensez à l'os, lieutenant. Et demandez à vos supérieurs ce qui en ferait une relique… La ferveur. Et croyez-moi, elle est là, partout. Elle n'attend que cela, avec avidité…"

Assem sort. Dès qu'il est dans l'enfilade des pièces, l'Égyptien se met dans son dos et il sent alors le canon d'un revolver. Cette apparition soudaine de la menace le surprend. C'est comme si Beyrouth resurgissait. Il a quitté la terrasse de Job, sa voix profonde, envoûtante, et il retrouve maintenant Al-Jnah Street, le jeu des services, les complots, les trafics, et tout cela lui fait immédiatement regretter les minutes ou les heures – il est incapable de le dire – qu'il vient de passer là-haut.

VI

CAPOUE

Comme il est étrange de voir son ennemi. Pas les soldats du camp adverse, sur le champ de bataille, ceux qui tremblent comme vous et hurlent comme vous, en priant pour que ce soit eux qui percent votre ventre et non le contraire, pas ces hommes-là, qui sont parfois des garçons d'à peine quinze, seize ans, non, le cœur de l'ennemi. C'est ce qu'il voit, là, sous ses yeux : les murailles de Rome. De l'autre côté de ces murs, il y a le sénat, les temples de Junon et de Déméter, le forum, les étals des boutiques, les villas de patriciens et les bordels crasseux des faubourgs. De l'autre côté, il y a l'argent de l'Empire et les ordres qui vont et viennent, circulent dans toute l'Europe. Ses propres hommes n'en reviennent pas. Tout est si proche. Il se souvient de la traversée des Alpes et de la brume du lac Trasimène. Il se souvient de la chaleur de Cannes et de toutes ces heures de marche forcée. Après Cannes, lorsqu'ils sont allés à Capoue, les hommes ont pu dormir dans un lit pour la première fois depuis trois ans. Et là encore, il les a tirés de leur sommeil, là encore, il les a rappelés à la guerre et leur a ordonné de se remettre en marche. Capoue est encerclée par les Romains. Pour l'instant, elle tient, mais elle ne tardera pas à ouvrir ses portes ou à mourir d'asphyxie. Il ne doit pas perdre Capoue. C'est son seul accès à la mer. Avec Capoue, il peut recevoir des renforts et faire tourner ses effectifs. Avec Capoue, il maintient la pression sur son ennemi et lui use les nerfs. Rome le sait. Tout se joue là. C'est pour cela qu'ils assiègent la ville rebelle. Le bras de fer s'éternise. Pour tenter de sortir de l'impasse, il a pris la tête d'une partie de son armée et a marché sur Rome. Il sait qu'il n'est pas de taille à commencer un siège. Il n'a jamais été question de cela. Il veut juste le faire croire. Il faut que la capitale de l'Empire se sente menacée. Qu'elle pense courir à sa perte et rappelle à elle ses soldats. Alors l'étau se desserrera sur Capoue et il pourra s'y réinstaller pour préparer sa victoire.

Depuis combien de temps tue-t-il? Depuis combien de mois la guerre a-t-elle pris ce visage d'une succession de batailles toutes plus sanglantes les unes que les autres? Il n'y a que cela autour de lui : des champs de bataille et des oiseaux qui tournent, rendus fous par l'odeur du sang. Il y a pire que la fatigue et l'éreintement. Il y a pire que l'horreur d'une bataille qui fut un cauchemar halluciné. Il y a pire que les mains qui tremblent pendant des heures encore après la mêlée, que les chevaux roussis par les incendies, il y a pire que ces milliers de morts dans cette forêt si dense que les balles ricochaient comme dans un labyrinthe fou, il y a le sentiment de l'inutilité. Une bataille pour rien. Celle d'aujourd'hui plus que les autres. Il ne peut le dire à personne mais il le sent et cela l'anéantit. Une boucherie qui n'aura même pas la vertu d'être décisive. Peut-être, au fond, le mérite-t-il, son surnom de "Grant le Boucher"? Combien d'hommes a-t-il envoyés à la mort depuis le début de cette guerre? Combien d'hommes ont cessé de vivre parce qu'ils avaient obéi à des plans que lui avait échafaudés, parce qu'ils avaient suivi des ordres que lui donnait? Des dizaines de milliers. Chaque jour il en meurt et aujourd'hui plus que de coutume. À quoi peut-il s'accrocher pour continuer à mener les hommes au combat? À Lincoln? Oui, peut-être. Il a une admiration profonde pour le révérend à la triste mine. Et à la cause : l'esclavagisme est un crime des hommes sur les hommes. Il se le répète sans cesse. Il doit s'accrocher à cela : ce sont eux, les forces du progrès. Ils sont l'avenir – le seul possible – de ce grand pays qui doit naître. Mais c'est parfois si peu face aux colonnes de corps allongés, les cheveux dans la boue, la peau déjà grise – des jeunes gens pour la plupart –, c'est si peu…

Elle a insisté pour s'arrêter au musée. Il est vide à cette heure, fermé au public. C'est bien. C'est ainsi qu'elle voulait le voir. L'inauguration a eu lieu la semaine passée. Elle a vu les images à la télévision. Elle a entendu les mots prononcés par le président irakien, par la directrice de l'Unesco. Ce que personne ne dit, c'est qu'une course a débuté. Les hommes en noir détruisent tout. Hier, ils ont mis à bas Nimroud avec des bulldozers. Tous les sites sur lesquels ils tomberont connaîtront le même sort : le maillet, la disqueuse ou la dynamite. Quel sera le prochain? On parle maintenant du temple d'Hatra. Ils avalent l'antique, condamnent au néant des sites qui avaient vu mourir l'Empire romain, qui avaient accompagné la naissance et la mort de pays, de civilisations.

Hannibal continue à longer les murailles de Rome à cheval dans l'espoir que ses ennemis paniquent et rappellent à eux les armées de Capoue pour défendre leur capitale. Il demande à nouveau – il a déjà demandé trois fois depuis qu'il est arrivé – si les éclaireurs ont donné quelque nouvelle de mouvements de troupes ennemies. On lui répond que non. Rome le voit, l'observe, commente sa présence mais ne décide de rien. Est-ce qu'elle va perdre son sang-froid ? Il passe et repasse sous les murailles. Il veut qu'on le voie, que les gardes en réfèrent à leurs supérieurs, que les supérieurs appellent les consuls et que les consuls préviennent le sénat. Hannibal est là, sous vos fenêtres, longeant la muraille comme un chat, se délectant par avance du sac qu'il ordonnera bientôt, "Hannibal est venu lui-même", "La grande bataille finale approche", c'est cela qu'il veut entendre, "Faites remonter les armées du Sud", "Hannibal s'attaque à Rome", "Il faut se préparer au siège", c'est cela qu'il espère et il demande à nouveau : "A-t-on des nouvelles de Capoue ? – Rien", lui dit-on. L'Histoire hésite encore et il sait qu'il n'a plus rien à faire qu'attendre en se souvenant qu'un jour, enfant, il s'était promis d'arriver jusqu'à Rome, et qu'aujourd'hui il y est, premier envahisseur sur les terres de l'Empire. Oui, que la panique s'empare d'eux ! Qu'elle brouille leur esprit. Car, ce qu'il a déjà accompli, nul avant lui ne l'a fait.

Il pleure ce soir, sans pouvoir s'arrêter, sous sa tente, veillant bien à ce que personne ne le voie. Non pas qu'il ait honte mais il sait que ses pleurs seraient le signe d'une impuissance et il n'a pas le droit d'offrir ce spectacle à ses hommes. Par un hasard macabre, la guerre les a fait revenir au même endroit : les bois de la Wilderness. Un an auparavant, une bataille a déjà eu lieu ici, face aux soldats de Lee. À l'époque, les sudistes avaient battu Hooker. Les cadavres sont encore là. Et comme il a plu aujourd'hui, les torrents d'eau ont rouvert les tombes et ceux qui se sont battus ont bien vu qu'ils le faisaient sur un lit d'ossements. Ceux qui sont tombés, visage à terre, se sont mêlés aux restes de leurs anciens camarades qui les accueillaient avec un sourire de squelette. Il pleure, l'esprit encore plein de ces averses qui transformaient le sol en champ de boue, de ces incendies qui se propageaient malgré la pluie, d'un point à l'autre, brûlant vifs les blessés. La Wilderness les a dévastés. Mais lorsqu'il s'essuie le visage pour qu'on ne voie plus ses larmes, lorsqu'il sort de sa tente pour être au milieu de ses hommes, il pense à Rome. "Qui vincit non est victor nisi victus fatetur." Celui qui est victorieux ne l'est pas tant que le vaincu ne se considère pas comme tel. Il ne peut le dire à personne, mais en regardant ses hommes qui essaient de se réchauffer autour d'un feu, qui parlent peu, tentent de retrouver la sensation d'être en vie, il comprend que la défaite n'est pas une question de pertes mais de mouvement. Il ne faut pas s'arrêter. L'enjeu n'est pas de gagner la bataille de la Wilderness, l'enjeu est de ne pas laisser à Lee le temps de souffler. Il marche sur Richmond, la capitale des États du Sud. Le général sudiste veut ralentir, gagner du temps. Il mise sur les élections qui auront bientôt lieu à Washington. Sans une victoire nette, Lincoln ne sera pas réélu et, s'il ne l'est pas, les confédérés auront toute latitude pour négocier leur sédition. C'est cela que veut Lee. Et c'est à cela qu'il faut répondre. Partout dans le camp, sous les tentes, on murmure qu'aujourd'hui l'armée de l'Union a connu une défaite. Et pourquoi le dit-on ? Parce qu'il y a dix-sept mille corps dans les bois qui gisent là, le visage encore éclairé par les dernières lueurs des incendies ? Il ne sera pas vaincu tant que l'Histoire continuera à hésiter et, pour l'instant, c'est ce qu'elle fait. Il faut la forcer. C'est pour cela qu'il ordonne aux hommes de se relever. Demain l'armée repart, reprend sa route vers le sud, vers la capitale de l'ennemi. Demain l'armée marche à nouveau et il n'y aura pas de défaite tant qu'elle continuera à marcher.

Elle traverse les salles en silence. Tout est là, à sa place. Elle refait le compte de tous ces objets et il lui revient en mémoire que douze ans plus tôt, en 2003, elle avait fait de même, arpentant les pièces dans un sens puis dans l'autre, mais tout était par terre alors : les vitres brisées, les chaises renversées, les objets à terre, les présentoirs vides. Elle avait erré, elle et plusieurs autres de son âge venus prêter main-forte à la directrice, découvrant le spectacle du pillage. Elle était jeune alors mais elle se souvient encore parfaitement de son état d'hébétude. Un grand crime avait été commis, là, sous leurs yeux, de bêtise et de laideur. Un crime qui allait contre la lumière des civilisations et ensemble, pendant des heures, ils s'étaient penchés pour ramasser des débris, balayer, faire le compte de ce qui manquait mais tout manquait… Plus de dix mille objets perdus. L'Irak était un vaste terrain de jeu pour les trafiquants de toute espèce. Ils avaient assisté au sac sans pouvoir rien faire. Bagdad était à feu et à sang. Elle se souvient de sa colère, lorsque dans la ville en feu les pillards avaient surgi de partout, pénétrant dans le musée, se servant en plein jour. Elle se souvient des soldats américains qui ne faisaient rien, ne bougeaient pas, regardaient ces bandes organisées mettre la main sur les richesses patrimoniales du pays. Elle avait contemplé, comme les autres, impuissante, le pillage du musée. Elle avait hurlé, comme les autres, en direction des soldats américains pour qu'ils interviennent. L'impunité des pilleurs. C'est là qu'est née sa vie. À partir de ce jour, après la chute définitive du dictateur, elle a consacré sa vie à la traque de ces objets. Avec Interpol ou avec l'Unesco. On l'appelait à chaque fois qu'un d'entre eux réapparaissait, dans l'arrière-boutique d'un antiquaire suisse ou au fond du sac d'un GI. Douze ans. C'est peut-être pour cela qu'elle va et vient seule aujourd'hui dans les grandes salles du musée et qu'elle prend le temps de tout regarder en silence.

Grant avance, comme un bouledogue. Il faut se fermer aux visages déconfits, à la douleur des blessés, aux doutes. Il faut se fermer à sa propre hésitation et rester concentré sur cette seule idée : avancer. Coûte que coûte, jour après jour. C'est ainsi que les guerres se gagnent. Il faut être têtu. Alors il insiste, pousse ses hommes à lever le camp chaque matin malgré la fatigue, à marcher encore, à se battre, mourir et continuer… L'Histoire hésite, n'a pas encore choisi. Après chaque bataille il faut se relever, quel qu'ait été le résultat de l'affrontement. Trente jours de guerre d'affilée, et l'Histoire ne dit toujours rien. Elle ne choisit aucun camp, reste indécise malgré les coups de boutoir qu'il donne. Trois jours après les combats de la forêt de la Wilderness, les deux armées se retrouvent à Spotsylvania. Les nordistes sont deux fois plus nombreux et Grant sait que c'est la seule carte qu'il a à jouer, comme chaque fois depuis le début du conflit : inonder le champ de bataille de ses troupes en faisant fi des pertes. Comment peuvent-ils survivre à ces dix-huit heures de combat qui eurent lieu à Bloody Angle? Vingt mille morts rien qu'à cet endroit. La pluie de mitraille est tellement dense, les tirs tellement nourris que les soldats ne sont pas abattus, ils sont découpés par les balles. Comment peut-on voir cela et ne pas en mourir? Le général Ewell s'effondre en plein milieu de la bataille. Il n'est pas touché. Il en a trop vu. Il se met à terre, se bouche les oreilles. Il n'a pas peur de mourir – cela fait longtemps qu'il a accepté cette idée – mais il ne peut plus voir ce qui l'entoure. C'est trop. Son esprit a sauté. Il se recroqueville. Pourquoi est-ce qu'il n'a pas fait comme Ewell, lui? Qu'est-ce qui, en lui, est capable de supporter cela? Le général Ewell ne reviendra jamais de Spotsylvania. Les soldats le ramènent à l'arrière mais il est fou dorénavant et parle seul. Dix-huit heures de combats et vingt mille morts. Le soir venu, Grant fait les comptes. Il ne peut pas s'en empêcher. Il voudrait ne pas le faire, sait que ça ne sert à rien. Il fume son dixième cigare de la journée et calcule comme un dément : cela fait mille cent onze morts par heure, donc dix-huit morts par minute, soit trois morts toutes les dix secondes et cela pendant dix-huit heures... C'est lui qui a orchestré cela, et il ne devient pas fou?

Dans une vitrine, elle reconnaît certains des objets égarés. Six cent trente-huit œuvres que l'armée américaine a rendues à l'Irak après le pillage de 2003. Et pourtant, pendant deux ans, ces objets étaient restés introuvables. Les services du général Petraeus certifiaient qu'ils avaient envoyé les caisses, et le musée, lui, répétait qu'il n'avait rien reçu. Elle a bataillé, avec l'aide d'Interpol, harcelant les bureaux de David Petraeus pour qu'ils apportent la preuve de leur envoi. Rien. Envolés. Aucune trace nulle part. Et puis enfin, en 2010, un beau jour, on a retrouvé les caisses. Les boîtes contenant les objets avaient été mises par erreur dans un entrepôt plein de matériel de cuisine. Elle a hésité, ce jour-là, entre crier de joie ou pleurer de rage. Deux ans de perdus. Six cent trente-huit objets d'une valeur inestimable rangés entre les réchauds et les tables de travail. Ils sont là, aujourd'hui. Le musée de Bagdad est debout à nouveau. C'est une réponse au bulldozer de Nimroud et à la disqueuse de Mossoul. Cela fait douze ans qu'elle lutte contre le trafic d'objets d'art, douze ans qu'elle tente d'endiguer l'hémorragie du patrimoine archéologique irakien. Tant d'objets vont disparaître. Les hommes en noir marchent sur Hatra. Le pillage se poursuit. Alors une idée la traverse et elle se demande soudain si elle ne devient pas folle. Il lui semble qu'elle passe et repasse dans les salles vides pour que les objets la voient. Qu'ils voient, oui, qu'il est des hommes et des femmes qui se soucient de leur conservation. Qui veillent sur eux. Que le monde qui les a tirés hors de terre n'est pas que rapacité et outrages.

Après Spotsylvania, il faut continuer. Il fait repartir ses hommes et retombe sur l'armée de Lee à Cold Harbor. Personne ne sait encore qui a gagné et qui a perdu l'overland campaign. Il y a déjà quarante mille morts dans leur sillage, mais pour l'heure cela n'a servi à rien. Et à Cold Harbor, il fait une erreur. Elle ne lui coûtera pas la vie. Elle ne lui coûtera même pas la victoire. Une erreur qui ne change rien, presque rien au cours des choses, et qui ne l'empêchera même pas de poursuivre sa progression, d'avancer vers le sud et de finir cette longue marche de trente jours d'horreur sous les murs de Petersburgh. Mais il connaît désormais le nom que murmurent les hommes le soir, dans les camps : "Grant le Boucher". À Cold Harbor, en sept minutes, il envoie au massacre sept mille hommes. Plus rien n'a de mesure. Il ne réfléchit plus en termes de vies. S'il calculait, là, il saurait que cela fait plus de seize morts à la seconde. C'est comme envoyer du bétail sous la mitraille. Seize morts à la seconde. Chaque homme qui tombe était une vie, avec son histoire, un village natal, des parents qui espèrent des nouvelles, chacun de ses hommes avait peur mais a couru tout de même parce qu'il n'y avait rien d'autre à faire. Là, il sait qu'il le prend, ce nom de "boucher", il le prend et, dorénavant, il l'entendra partout, murmuré à son oreille, transformant les joies en honte et les moments de paix en harcèlement. Il l'entendra lorsque Lincoln se penchera sur lui pour le féliciter, "boucher", il l'entendra lorsque sa femme essaiera de lui murmurer dans l'oreille qu'elle l'aime, "boucher", il l'entendra hurler par la foule lorsqu'il défilera et jusque dans sa vieillesse, "boucher", à chaque instant, "boucher" à chaque moment de lumière où il voudra se féliciter d'être en vie, "boucher" car les sept mille morts de Cold Harbor n'ont servi à rien. Il le prend ce nom, "boucher", et s'en souviendra toujours, même lorsqu'il sera face à Lee vaincu, et plus tard encore, lorsqu'il sera président des États-Unis, "boucher", oui, il n'a pas le droit de le nier, lui qui n'a pas su devenir fou comme Ewell. À moins que si, à moins qu'il ne le soit devenu, justement, mais sans s'effondrer au sol, sans s'en rendre compte : fou, oui, parce qu'il a atteint ce point terrifiant, cet endroit qui avale tout, où seule la victoire compte et où tout peut être sacrifié pour l'obtenir.

Qui a ouvert les portes de Capoue ? Après combien d'heures d'hésitations et de discussions ou sous quelle impulsion subite un homme, représentant officiel de la ville ou simple citoyen, n'en pouvant plus de subir ce siège, a ouvert les portes de la ville, laissant les effluves du marché aux parfums s'échapper ? Il y a forcément une main qui s'agrippe aux lourdes barres de fer, une gorge qui s'époumone pour prévenir que la ville se rend. Il y a forcément des doigts qui font tourner la clef dans un verrou. Savent-ils qu'ils viennent de faire basculer l'Histoire ? Qu'un empire va chuter et l'autre triompher ? Les habitants de Capoue se sont laissé leurrer par la ruse qu'Hannibal réservait aux Romains. Lui voulait faire croire à Rome qu'elle était menacée, qu'il allait concentrer toutes ses forces sur elle. Les Romains n'y ont pas cru mais Capoue, si. La ville s'est sentie abandonnée par Hannibal. Elle n'a pas compris que la manœuvre n'était faite que pour desserrer l'étau qui pesait sur elle et que le Carthaginois, plus tard, viendrait la délivrer. Une main a ouvert les portes. Ils ont cru que Rome enverrait des parlementaires. Ils ont cru que l'Empire exigerait qu'ils soient désarmés et peut-être même durement sanctionnés par de lourds impôts. Ils en ont parlé entre eux et ont accepté cette idée. Ils ne pensaient pas que Rome ferait d'eux un exemple. La porte de Capoue s'ouvre. Le temps long de l'hésitation s'achève, ce temps infini où Hannibal allait et venait sous les remparts de Rome pour que tous le voient et que la panique s'empare des rues du forum. L'Histoire a choisi, la porte s'ouvre et ce qui s'engouffre dans Capoue, à cet instant, ce ne sont pas les palabres et les tractations, c'est la colère et le châtiment. Les Romains entrent et dévastent tout. Que plus aucune ville ne s'amuse ainsi à leur tenir tête. Que personne ne puisse se targuer d'avoir fait trembler Rome. Ils entrent et leur font payer les nuits d'insomnie, la peur des patriciennes. Ils leur font payer ces heures passées à se demander s'ils vivront ou seront bientôt des corps gisant dans la boue froide d'un champ de bataille. Capoue doit saigner et bientôt l'odeur douce du marché Selpasia est couverte par celle, plus lourde, plus écœurante, du sang chaud qui se répand à terre. Lorsque le messager le lui dit, Hannibal regarde une dernière fois les murailles de Rome. Il sait que ce n'est pas maintenant qu'il parviendra à mettre à genoux l'Empire. Peut-être ne reverra-t-il jamais cette muraille… Alors il prend son temps, puis ordonne le repli. Il ne parle pas. Tous ceux qui l'entourent savent ce que signifie la chute de Capoue. À eux, maintenant, la retraite vers le sud. À eux, trois ans de pièges et d'attente. Il faudra se retrancher dans les monts de Calabre et y vivre comme des sangliers de montagne en attendant les renforts. À eux d'être assiégés. L'Histoire a choisi. À eux, la fuite avec l'ennemi sur les talons, nuit et jour. La victoire de Cannes est loin. Capoue brûle maintenant et c'est à eux de pleurer.

VII
GENÈVE

Addis Abeba. Pourquoi Job a-t-il choisi cette ville ? C'est la première question que lui a posée Auguste lorsqu'ils se sont assis sur le banc de la promenade de la Treille, au pied du marronnier penché qui sert aux Genevois à guetter l'arrivée du printemps. "Je ne sais pas", lui a répondu Assem. Auguste a eu l'air contrarié. Ils ont parlé un peu puis ont rejoint le petit restaurant à la belle devanture en bois de la rue Jean-Calvin où ils avaient rendez-vous avec Dan Kovac. L'Américain attendait des nouvelles, voulait qu'Assem dise si Job était fou ou non, s'il représentait une menace, s'il préparait des attentats contre les intérêts américains, s'il était allié à des services ennemis, ou s'il était dans un état d'esprit qui faisait de lui un élément nuisible. Il voulait qu'Assem réponde à toutes ces questions mais le Français a d'abord dit :

"Il a parlé de reliques…"

Kovac a eu l'air contrarié à son tour, comme l'avait été Auguste.

"Qu'est-ce qu'il a dit, exactement ?

— Que pour qu'un os devienne une relique, il faut de la ferveur et qu'il sait où la trouver…"

Il y a ce jour lointain où ils ont mené l'assaut contre la maison d'Abbottabad. Dans l'hélicoptère du retour, personne ne parle. Tous les membres du commando se taisent. Ils savent que, tant qu'ils sont dans l'espace aérien pakistanais, tout peut arriver. Deux appareils sont venus leur prêter main-forte pour les exfiltrer. Ils ont dû laisser l'hélicoptère qui s'était écrasé dans la cour et le faire sauter avant de quitter les lieux. Tout cela a pris du temps et a fait du bruit. Abbottabad s'est réveillé. L'État-Major pakistanais est certainement en train de donner des ordres et qui sait s'ils ne voudront pas intercepter les appareils américains pour montrer leur mauvaise humeur… Il y a ce jour lointain, dans l'appareil, où ils serrent les mâchoires et comptent les minutes. Et puis enfin le pilote annonce qu'ils viennent de passer la frontière afghane et, d'un coup, ils explosent de joie. Certains enlèvent leur casque, poussent des hurlements et se donnent l'accolade. Sullivan Sicoh, lui, ne bouge pas, laisse les autres exulter. L'hélicoptère se remplit de victoire, de mots de congratulations, de soulagement et de fierté, mais lui ne crie pas, ne sourit pas. Sa mission n'est pas terminée.

À l'évocation du mot "reliques", Kovac s'est pincé les lèvres et s'est rembruni. Assem poursuit, parle de la garde rapprochée de Job, de son allure de chef de contrebandiers, du lieu où ils se sont rencontrés. Il dit à Kovac que Job lui a semblé "clairvoyant". Il utilise ce mot et il voit que Kovac a l'air surpris. Que peut-il dire de plus ? Qu'il a hâte de le retrouver ? Qu'il n'a qu'une crainte : que Kovac se lève à la fin du repas et les remercie pour leur aide, en leur annonçant qu'ils vont prendre le relais et régler cette affaire eux-mêmes ? Il ne veut pas être écarté. Il repense à ce rendez-vous à Addis Abeba et il voudrait y être. "Ne laissez pas le monde vous voler les mots", avait dit Mahmoud Darwich. Est-ce que c'est cela qui le relie à Job et qui fait qu'il a hâte de le retrouver ? Est-ce que c'est parce que Job, étrangement, à sa manière déroutante et obscure, a remis des mots sur le monde ?

"Vous allez nous expliquer ?" C'est Auguste qui finit par poser la question. Il a attendu que Dan Kovac redescende des toilettes, semblant vouloir embarquer le petit escalier en colimaçon avec lui dans sa descente, se rassoie à leur table, puis il pose cette question d'une voix dure.

"Si vous voulez qu'on poursuive avec vous, il faudrait nous en dire un peu plus. Les histoires de trafic d'objets d'art, personne n'y croit. Même Job semble savoir pourquoi vous lui envoyez quelqu'un."

Assem sait qu'Auguste joue là le tout pour le tout. Si Dan Kovac se braque et ne veut rien révéler, sa mission s'achèvera ici et il ne reverra plus jamais Job. Les Américains monteront une opération pour le cueillir à Addis Abeba et on le retrouvera étranglé dans une chambre d'hôtel avec tous les indices d'un petit crime minable – une prostituée avide d'argent, un jeu sexuel qui aurait mal tourné… À moins qu'ils ne le ramènent aux États-Unis. Commencera alors pour lui une longue vie de débriefings, d'interrogatoires, de cellules, avec toujours les mêmes questions, mille fois répétées, jusqu'à ce qu'il devienne fou ou réussisse à se pendre. Assem retient son souffle. Il sent à cet instant à quel point il tient à le revoir et cela l'étonne.

"C'est délicat…" répond Kovac à voix basse et Assem souffle car, si l'Américain répond, c'est qu'il veut continuer à travailler avec eux. "Vous savez qu'après l'élimination de Ben Laden, nous avons eu un problème avec le corps. C'est le genre de cadavre qui vous brûle un peu les doigts et dont on ne sait pas très bien quoi faire…

— Quel est le rapport avec Job?" interrompt Auguste.

Sur le pont du porte-avions, le vent souffle, gonflant les vagues, calmes, puissantes comme des collines qui rouleraient les unes après les autres. Il fait beau. Sullivan Sicoh regarde l'horizon. Il vient de rejoindre McRogan qui fume une cigarette dans son uniforme d'apparat en attendant que l'imam soit prêt. Sullivan ne dit rien. L'imam ne tarde pas à apparaître avec, à sa suite, quatre matelots qui portent une caisse en bois. Ils s'approchent. Le vent fait claquer les drapeaux. Il n'y a pas un oiseau dans le ciel. Ils sont trop loin des terres. L'imam commence la cérémonie. On lui a demandé de faire le plus court possible. Le corps a été enveloppé dans un linge blanc. Depuis Abbottabad, Sullivan ne l'a pas quitté une seule fois. Des prélèvements ont été effectués pour vérifier son identité, comparer les ADN. Il y a eu – il s'en souvient – une nouvelle explosion de joie dans la base en Afghanistan lorsque les résultats des analyses ont confirmé qu'il s'agissait bien de Ben Laden. Et puis le monde entier l'a appris. La joie a éclaté partout au pays. Un peuple entier réclamait vengeance depuis dix ans. Et maintenant, il ne reste que l'océan. Lorsque l'imam achève sa prière,

Sicoh et l'un des matelots saisissent la planche de bois et la montent à bout de bras au-dessus de leurs têtes. La dépouille se met en mouvement, glisse sur la planche, de plus en plus vite, entraînée par son propre poids jusqu'à jaillir et tomber le long de la coque de l'immense bâtiment militaire. Pendant quelques secondes, il reste suspendu dans les airs, puis ils entendent le bruit du choc avec l'eau et plus rien. Sullivan fixe l'immensité qui bouge, gronde, se soulève. Il se demande ce que l'océan pense de ce corps qu'on vient de lui confier et combien de temps il mettra à le ronger... Puis, d'un coup, la voix de McRogan le sort de ses pensées et claque dans l'air humide :

"Allez, messieurs : allons chercher nos médailles..."

Dan Kovac a marqué un temps. Il doit être en train de mesurer ce qu'il peut dire et ce qu'il doit taire, à moins qu'il ne joue la comédie, à moins que tout cela n'ait déjà été prévu et qu'il hésite dans le seul but de faire plus vrai, de leur donner le sentiment qu'ils approchent du cœur de l'affaire et qu'après ce qu'il dira, les Français n'ignoreront plus rien.

"Sullivan a été chargé de la protection du corps. Il faisait partie de ceux qui étaient sur le porte-avions *USS Carl Vinson*. Avec McRogan et quelques officiels, ils ont procédé à la cérémonie et ont passé le cadavre par-dessus bord.

— Et... ? demande Auguste pour que Kovac aborde le véritable problème.

— Rien pendant quelques mois. Et puis, un beau jour, Sullivan disparaît. On croit d'abord à une dépression, quelque chose comme ça... Mais quelque temps après sa disparition, on entend parler de drôles de tractations. L'info remonte en plusieurs endroits qu'un agent proposerait à certains groupes djihadistes des reliques du leader d'Al-Qaida. On a d'abord cru à une blague. C'était ridicule. Jusqu'à ce qu'un agent des services jordaniens nous assure qu'il a vu les tests ADN et que le type en question serait bien en possession d'un morceau de Ben Laden."

Assem repense à Job brandissant son tibia humain sur la terrasse de la maison de la rue Al-Jnah. Il réentend sa voix, sourde, voilée et malicieuse. Est-ce de cela qu'il s'agit vraiment? De trafic de dépouilles? D'un os que l'on mettrait aux enchères?

"Vous voulez rire? coupe Auguste. Ce n'est pas sérieux... Quand bien même il aurait réussi à voler un doigt, un orteil ou je ne sais quoi, vous n'allez pas me dire que c'est pour ça que vous avez mis en place tout ce dispositif?"

L'Américain regarde Auguste très calmement. Puis, il répond :

"Je comprends que vous le preniez comme ça, Auguste. Mais il se trouve que cette histoire ne fait pas du tout rire ma hiérarchie ni la Maison Blanche. Si de petits bouts de Ben Laden réapparaissent un peu partout, cela va devenir compliqué à gérer. Et puis il y a autre chose. Si vraiment Sullivan a fait cela, il est bien trop loin pour que l'on puisse le récupérer et alors je suis le premier à ne pas être rassuré à l'idée de le savoir à Beyrouth, à Addis Abeba ou je ne sais où, en train de prendre contact avec tout ce que la planète compte de salopards. Les chebabs, Aqmi, Al-Nosra, l'État islamique, Boko Haram, vous ne croyez pas que, sous peu, un de ceux-là va finir par se dire qu'un ancien des commandos américains qui a disjoncté, ça peut être un ami intéressant?"

Assem n'écoute plus. Il est resté sur les mots que Dan Kovac vient de prononcer. "Il est bien trop loin…" Il sait que c'est cela. Job est bien trop loin pour revenir. Il n'en a aucune envie. Il leur parle une dernière fois depuis l'autre rive où il a décidé d'accoster et c'est ce qui le fascinait durant tout le temps où ils étaient face à face. Job a quitté la vie. Il s'est affranchi de ce qui pèse aux autres hommes et il fait face à l'obscur. Si cette histoire de reliques est vraie, elle n'est pas sérieuse de sa part à lui. Il ne faut probablement y lire qu'un pied de nez, une déclaration de guerre, ou plutôt une façon de dire adieu à son camp. Car après cela, Kovac l'a dit et Job le sait, il ne pourra plus revenir. Il brûle ses vaisseaux. Et il le fait en souriant, fixant la nuit avec appétit car désormais il n'a plus d'autre choix que d'avancer. Il s'éloigne du monde, de tout, mais probablement s'approche-t-il de quelque chose de plus vrai, de plus enivrant, et Assem sait que c'est pour cela que Job l'a fasciné et qu'il veut le revoir, parce qu'il l'envie de s'enfoncer ainsi, seul, avec dans son dos ses vaisseaux qui brûlent sur la grève et face à lui l'inconnu.

"Moi, Hailé Sélassié, premier empereur d'Éthiopie, je suis ici aujourd'hui pour réclamer la justice qui est due à mon peuple, l'assistance qui lui a été promise il y a huit mois, lorsque cinquante nations ont affirmé que l'agression dont il était victime avait été commise en violation des traités internationaux…"

Il a attendu longtemps de pouvoir prononcer ces mots. Lorsqu'il est entré dans la grande salle du siège de la Société des Nations, sur les bords du lac de Genève, il a pensé que l'instant serait solennel et il s'y était préparé, mais il a été accueilli par des sifflets. Des Italiens lui ont crié qu'il était un singe, que l'Italie ne pouvait pas décemment siéger dans une assemblée qui accueillait de tels pays. Ils ont fait du bruit. Ils ont ri, fait des grimaces, l'ont injurié. Ils étaient quatre ou cinq, dans le carré réservé aux journalistes. Il a serré les dents, attendant patiemment que le service d'ordre intervienne, que l'on évacue ces activistes fascistes. Mais cela a été long. La défaite. Jusqu'au bout. Et l'humiliation qui va avec. Ils ne lui laisseront rien : ni la solennité, ni même le silence. Il s'est concentré sur les souvenirs de son pays pour rester impassible. Là, debout à la tribune de la Société des Nations, devant la planète entière, humilié comme un vulgaire homme politique que l'on prendrait à partie sur les marchés. Il est un roi déchu, en exil. La Suisse elle-même ne l'a autorisé à se rendre à Genève aujourd'hui qu'après qu'il a promis qu'il n'avait pas l'intention de rester sur le territoire helvétique. Il retournera à Bath dès que son discours sera terminé. À Fairfield House, un peu à l'extérieur de la ville, dans cette maison qui domine la route et qui est si humide que l'impératrice garde, toute la journée, un châle sur les épaules. Et bientôt l'automne viendra, puis l'hiver. Il faudra tenir, loin de son pays. Le reverra-t-il jamais ? Il se concentre sur les souvenirs de la bataille de Maichew pour rester chargé de la colère dont il a besoin. "Négrillon !" Les journalistes continuent à l'insulter. Des policiers sont là pour les ceinturer et les expulser mais ils ne se laissent pas faire et plus ils sentent qu'ils seront bientôt mis dehors, plus ils redoublent d'intensité dans leurs insultes. Lui reste droit, impassible. Il ne se départira jamais de ce calme étonnant, jusqu'à la fin de ses jours, jusque dans les turbulences des coups d'État : le calme pour ne rien offrir à l'ennemi. Il les regarde, ces quatre ou cinq journalistes, laids comme la lâcheté du plus fort. Ont-ils la moindre idée de ce qu'il s'est passé à Maichew ? Du courage dont ont fait preuve les Éthiopiens ? Auraient-ils tenu cinq minutes, eux, sous la mitraille, ces porcs qui font maintenant des gestes ridicules pour mieux le singer ? On lui crache au visage. Mussolini lui a envoyé ces perturbateurs pour que même la solennité lui soit enlevée. Soit. Il endurera. Il repense aux villages que l'aviation italienne a massacrés en faisant pleuvoir dessus les gaz contre lesquels on ne peut rien, il repense à la panique de ses guerriers qui comprennent que leur bravoure sera inutile, que l'ennemi n'a même plus besoin de se montrer et qu'ils vont mourir là, sur ce champ de bataille, sans gloire, avec la laideur des combats perdus d'avance. Il repense aux cadavres gonflés comme des ballons d'hélium, aux visages défigurés de tous ceux qui ont été gazés. Il repense à tout cela et il se sent chargé de rage. De plus en plus calme. De plus en plus froid, mais il pourrait casser son pupitre en deux. Tous ceux qui l'observent aujourd'hui, ces cinquante pays-là, ceux qui rigolent du cirque des journalistes italiens ou ceux qui trouvent cela scandaleux, tous représentent des pays qui ont laissé mourir l'Éthiopie. Ils ont vendu leur âme pour acheter la paix. Et ils n'ont pas envie d'entendre ce qu'il est venu dire parce qu'ils savent que ce sera comme un reproche.

Cela fait un mois seulement qu'il s'est battu à Mai-chew. Un mois qu'il tenait une mitrailleuse dans un indescriptible chaos de feu, de gaz et de rafales, et il est là, aujourd'hui, attendant sans bouger que les quatre porcs sortent enfin et que le silence revienne, et alors seulement, en regardant bien en face tous ces pays qui ne sont pas ses amis, qui applaudiront par politesse mais le laisseront retourner à l'humidité de Bath sans rien faire, alors seulement, il parle et pro-nonce ces mots qu'il attend de pouvoir dire depuis si longtemps : "Moi, Hailé Sélassié, premier empe-reur d'Éthiopie, je suis ici aujourd'hui pour réclamer la justice qui est due à mon peuple…"

Assem marche le long de la rive droite du lac. Le soleil du mois de mai scintille sur les eaux. Les hôtels de luxe se succèdent les uns aux autres. Il laisse dans son dos le centre-ville. Il a envie d'aller jusqu'à l'an-cien siège de la SDN, qu'il n'a jamais vu. Lorsqu'il l'atteint enfin, il est frappé par sa petite taille. Face au lac, un parc en terrasse donne au bâtiment des airs de grande propriété. Il essaie d'imaginer l'arrivée d'Hailé Sélassié, le jour où il prononça son fameux dis-cours. La SDN ne s'en est jamais remise. Le Négus l'a enterrée. Ou plutôt, la SDN s'est enterrée elle-même parce qu'elle était lâche, parce qu'aucun des pays qui la constituaient n'était prêt à se battre pour les petits États. Est-ce si différent aujourd'hui ? Il se souvient des jours d'attente lorsque la France faisait pression sur les États-Unis pour qu'ils interviennent en Syrie. Il marche encore, continue sa promenade le long du lac.

"Avez-vous gagné, lieutenant ?" Il se remémore la question que lui avait posée Job, avec cette voix

nasillarde qui portait une menace, une fébrilité.
A-t-il gagné? Cela fait dix ans qu'il va et vient sur le
globe. Il enchaîne les missions. Mais à quoi parti-
cipe-t-il? À la guerre? Lorsqu'il se promène dans les
rues de Paris, il n'a pas l'impression d'être en guerre.
De quoi est-il le soldat, alors? Dans cette époque où
la France n'est ni en guerre ni en paix, où la menace
est diffuse et permanente, quelle peut être la victoire?
La vengeance d'État, cela, oui, il le comprend. Il a
œuvré à l'assassinat du mollah Hazrat. C'est lui qui
a vérifié les coordonnées précises de l'endroit où il se
trouvait. Et lorsque les chasseurs ont fait exploser la
cabane, il a pensé aux dix soldats français tués dans
l'embuscade d'Uzbin quatre ans plus tôt et il s'est
senti bien, pas victorieux mais fort de ce sentiment
que seule procure la vengeance accomplie. Mais
où est la victoire lorsque tout continue sans cesse?
Y en a-t-il eu une seule dans toute sa vie d'opérations? Une victoire qui clôturerait vraiment un état
de guerre, et construirait la paix? Que fait-il alors,
si tout cela n'est qu'une succession de missions sans
fin? Pendant des années, il a eu le sentiment profond, sincère, de servir sa patrie. C'est ainsi qu'il se
voyait. Peut-il dire aujourd'hui avec certitude qu'il
n'a pas participé à quelques barbouzeries? La question de Job tourne dans sa tête: "Avez-vous gagné,
lieutenant…?" Dans cette foule sur la route de Syrte,
il n'a jamais senti la victoire. Le dictateur était à
5 mètres de lui, le visage en sang, hébété par la douleur, il n'avait pour lui aucune compassion mais il
n'était pas joyeux non plus. C'était pourtant la libération d'un peuple. Au fond, il n'y a que cela qui
soit juste, que cela qui vaille la peine de prendre les
armes: la libération des peuples. A-t-il jamais œuvré

pour une telle cause? Il marche le long du fleuve et imagine le Négus parlant, devant le monde entier réuni dans ce bâtiment, de son pays que l'on vient d'envahir et l'image se superpose avec celle de Shaveen qui souriait sur la route de Kawergosk, dans ce pick-up qui les emmenait au nord, en direction des monts Sinjar. Pourquoi pense-t-il si souvent à elle? Peut-être parce qu'elle avait la victoire dans les yeux. Quels mots peut-il mettre, lui, sur ce qu'il fait en ce moment?

Ils l'écoutent en silence, maintenant, espérant probablement que le discours ne dure pas trop longtemps, pressés qu'ils sont de rejoindre leur hôtel, de se promener sur les bords du lac et d'oublier au plus vite ce moment désagréable où un petit homme de 1,50 mètre, empereur déchu d'un royaume lointain, leur dit ce qu'ils sont. Ils l'écoutent en silence et les cris obscènes des journalistes italiens sont oubliés. Ce sont ses mots à lui qui règnent sur l'assemblée. Il parle des gaz moutarde pulvérisés sur les troupes éthiopiennes ou même en dehors des zones de combat, sur le bétail, sur les villages. La guerre totale pour terroriser tout un pays. "… Cette technique de la peur a réussi. Les hommes et les animaux ont succombé, la pluie de mort qui tombait des avions a fait hurler de douleur tous ceux qu'elle touchait…" Il dit tout et cela prend du temps. Mais il ne leur épargnera rien. Ce n'est pas la pitié qu'il demande mais cela, ils ne le comprennent pas encore. "… Tous ceux qui ont bu de l'eau empoisonnée ou mangé de la nourriture infectée sont également morts dans d'horribles souffrances…" Il les voit, lui, ces corps suppliciés, il les a sous les yeux. Il sait qu'il aurait pu être un d'entre eux. Le silence de l'assemblée devient plus dense. Quelque chose vibre dans l'air qui n'a rien à voir avec la compassion que l'on peut avoir pour un vaincu. Et le petit homme, dans son uniforme impeccable, qui parle un parfait anglais, se tient droit comme si personne ne lui avait dit que son armée avait été défaite et que son pays était envahi. "… C'est pourquoi j'ai décidé de venir en personne témoigner devant vous des crimes perpétrés contre mon peuple et adresser à l'Europe un avertissement de ce qui l'attend si elle s'incline devant le fait accompli…" Les délégations relèvent la tête, regardent avec surprise le petit homme. Un avertissement…? Est-ce qu'ils ont bien entendu…? Sa voix est ferme. Ils comprennent alors que ce n'est pas un vaincu qui parle, pas un roi défait qui vient demander l'aumône. L'Histoire hésite-t-elle encore? Il continue son discours, se sent de plus en plus fort. Rien ne peut plus l'ébranler. Il est de la lignée du roi Salomon. Que peuvent bien Badoglio et Graziani face à lui? Il est de la lignée de la reine de Saba et ce qu'il est venu apporter ici, ce n'est pas une supplique. Les délégués commencent à le sentir et ils écoutent avec plus d'attention. L'empereur face à eux est un fossoyeur, pas de l'Éthiopie, mais de la Société dans laquelle ils siègent. C'est cela qu'il dit. "… J'affirme que le problème soumis à l'Assemblée aujourd'hui est un problème beaucoup plus large que celui du règlement de l'agression italienne… Il en va de la sécurité collective. Il en va de l'existence même de la Société des Nations…" Et il continue, répond coup pour coup au silence passé, aux abandons, aux fausses promesses, à l'embargo jamais

levé, aux petites lâchetés de couloir. "… Il en va de
la confiance que chaque État peut placer dans les
traités internationaux. Il en va des promesses faites
aux petits États que leur intégrité et leur indépen-
dance seront garanties…", et tout le monde écoute
maintenant. L'homme qui est face à eux ne pleure
plus sur son pays mais vient de proclamer leur acte
de décès et il semble fort, lui, plus fort que chacun
des représentants ici. Il a tout perdu, oui, il retournera dès demain à Bath et la Suisse sera soulagée de
voir qu'il ne cherche pas à rester sur les bords du lac
car elle n'aurait su que faire d'un invité si encom-
brant. Il aura froid encore pendant trois ans et l'impératrice n'en pourra plus de s'enrhumer et repartira
à Jérusalem, le laissant seul, à compter les jours et
à suivre avec nervosité les soubresauts de la guerre,
espérant que l'Angleterre lui offre la possibilité d'aller rejoindre son peuple. Il aura froid, il attendra des
nuits entières, mais pour l'heure, il est debout devant
eux et il leur dit qu'ils sont morts, là, avec lui, sur le
champ de bataille de Maichew, alors qu'ils se félici-
taient de ne pas avoir pris part au combat "… Il en va
de la morale internationale", et quand il dit cela tout
le monde le comprend, il dit qu'elle n'existe plus,
que tout est mort là-bas. Il achève son discours en
demandant aux peuples présents ce qu'ils sont prêts à
faire pour l'Éthiopie, mais il sait que la réponse est :
"Rien", il sait que ceux qui l'écoutent viennent de se
dissoudre dans leurs propres hésitations et c'est cela
qu'il est venu leur dire, qu'ils ont perdu, sans même
s'en rendre comptc, que la Société des Nations n'est
plus, parce que plus personne n'y croira désormais,
et lorsqu'il quitte la salle sous les applaudissements,
il sent, pour la première fois depuis la nuit où il a

quitté Addis Abeba, quelque chose qui ressemble à la victoire, comme si ce long chant de vaincu qu'il vient de prononcer balayait les insultes et annonçait des joies encore invisibles.

Il ira à Addis Abeba et rencontrera Job à nouveau. Les Américains seront là, derrière lui. Il va servir d'appât. Ce sont ces mots-là qu'il faut mettre sur sa mission. Il doit endormir Job pendant que les autres décideront de son sort. Est-ce que cela a à voir avec du patriotisme ? Est-ce que cela ne fait pas de lui un barbouze ? Milices privées, négociateurs, anciens des services reconvertis dans les sociétés de protection, les pays en guerre en sont pleins. Est-ce ainsi qu'il finira, lui aussi ? Dans un pays pétrolier où il monnaiera son savoir-faire auprès de gros groupes français impressionnés par ses faits d'armes ? Ce n'est pas cela, bien sûr, qui l'a fait devenir ce qu'il est. Ce n'est pas cela qu'il aime. Il voulait être dans l'Histoire – pas être reconnu par elle (il n'a pas cette ambition) mais la sentir, être dans les endroits du monde où elle se cherche, se convulse, hésite, prend des formes effrayantes, démesurées. Sentir son souffle, voir comment elle modèle des pays, déforme des vies, crée des espaces singuliers. C'est toujours cela qu'il a voulu. Et souvent, il le sentait, ce souffle. Durant l'opération Serval ou lorsqu'il était instructeur au Kurdistan, même à Syrte aussi, c'était l'Histoire qui mettait à Kadhafi un masque boursouflé. Il l'a senti en Afghanistan. C'était parfois frustrant, parfois effrayant, mais il était là, au cœur du battement du cours des choses. Et le vertige de voir qu'à cet endroit précis une décision simple peut tout faire changer, il l'a ressenti. Il sait que Sullivan Sicoh l'a senti aussi et l'a aimé, ce sentiment. C'est cela qu'ils partagent. Et c'est pour cela qu'il lui a donné rendez-vous à Addis Abeba. Parce qu'au fond, ils sont frères. Et tant pis s'il sait, s'il ne peut ignorer, que lorsqu'ils se reverront, ce sera un piège. Job l'a invité à ce deuxième rendez-vous pour lui dire qu'ils étaient semblables. Lui aussi a connu ces moments d'étirement du temps où les secondes s'allongent et où l'Histoire hésite. Lui aussi a appuyé sur la détente de son arme, trois balles, un son sourd, le corps qui tombe, le corps qu'il a à peine eu le temps de voir, cela a été vite, cela va toujours très vite, cela se passe sans émotion, avec de la tension, mais sans peur ni joie, car il n'y a pas le temps, trois coups et le monde entier va savoir qu'une histoire s'achève, les dix ans de traque du terroriste qui a défié les États-Unis, et on dira d'eux que ce sont des héros, mais ils savent que tout aurait pu basculer au moment où l'hélicoptère s'est posé dans la cour de la maison d'Abbottabad, avec ce déséquilibre, les pales qui se cassent, cela aurait pu être la nuit d'un ratage, on aurait retrouvé des corps de soldats américains morts, le Pakistan aurait exigé des explications, Al-Qaida aurait pavoisé, ils savent que tout se joue toujours sur de toutes petites choses, le réflexe du pilote, le muscle dans le poignet, qui fait que l'appareil se pose malgré tout, et ce geste qui les sauve les mène directement aux trois coups parce qu'à partir du moment où l'hélico se pose, l'Histoire a choisi et il n'y a plus qu'à parcourir le chemin qu'elle déroule. Il aime cela au fond. Les moments d'hésitation de l'Histoire. Qu'a-t-elle choisi pour Job ? Est-ce que tout cela a la moindre importance ? Non, probablement pas. Parce que Job ne se bat que pour lui-même. Il faudrait savoir ce que l'Histoire a choisi pour Shaveen. Cela compte, oui… Au fond, peut-être tout cela le dégoûte-t-il? C'est comme si on l'obligeait à regarder ce qu'il est, ce qu'il pensait ne jamais devenir. Peut-être est-ce cela, le signe de la défaite : ce sentiment de gêne vis-à-vis de soi? Il va devoir demander à Job s'il a bien volé un morceau de squelette de Ben Laden et, si oui, où il le cache. Il va devoir parler et agir comme si cela avait de l'importance, alors que pour lui cela n'en a pas. Il ne se réveille jamais en se demandant sous quelle dune de quelle partie du désert libyen est enseveli Kadhafi. Le corps d'Alexandre le Grand, oui. Celui d'Hannibal aussi. Ceux-là portent en eux une vibration. Parce qu'ils étaient chargés d'une vision, parce que ce sont les corps d'hommes qui ont vu l'Histoire les abandonner alors qu'ils auraient pu régner dessus, parce que ce sont des hommes qui ont mis des mondes à terre et ont posé des mots sur des mondes nouveaux. Job le sait. Et il est probable que s'il détient vraiment un tibia, un doigt ou une côte du Saoudien, cela le plonge dans une mélancolie encore plus vaste car il se trompe et il le sait. Il ne faut pas que de la ferveur pour faire une relique. Il faut que la dépouille ait appartenu à un homme qui a fait frissonner les autres hommes, de surprise d'abord puis d'impatience.

VIII

PARIS

Elle reboutonne son chemisier, assise sur la table d'auscultation. Le médecin lui a palpé les seins. Ses mains étaient froides. Elle a sursauté. Puis elle s'est concentrée, comme si elle voulait voir ce que ces mains sentaient, chercher avec elles l'ennemi, le cerner dans ses contours, lui faire sentir sa volonté à elle de vivre, de résister. "Il faut que vous pensiez un peu à vous…" a dit le Dr Hallouche en levant les yeux avec un sourire gentil sous ses lunettes. Il finit de parcourir son dossier des yeux. "… Vous allez avoir besoin de toutes vos forces pour ce combat… Est-ce que vous êtes entourée?" Elle ne répond pas tout de suite. Entourée? Oui, elle l'est. De tous les hommes qu'elle a aimés. Ceux dont elle se souvient du nom, Marwan, Assem, et ceux dont elle n'a jamais connu le nom. Oui, elle est entourée. Des statues qu'elle a manipulées. Des bijoux assyriens. Des grands colosses de Khorsabad qui sont là, en elle, parce que c'est sa vie. Et Botta est là aussi, Mariette Pacha, Hormuzd Rassam, est-ce qu'elle peut le dire? Est-ce que c'est cela qu'il demande?

La nuit tombe sur Addis Abeba. Le mont Entoto disparaît doucement. Il n'y a pas un filet d'air. Assem rentre à l'hôtel Mekonnen à pied. La moiteur partout, sur les corps des femmes dans les marchés, sur les façades des bâtiments, dans ce brouhaha incessant de rue, la moiteur dans le regard des passants et la fatigue des enfants. Il se sent triste et marche sans urgence parce qu'il ne veut pas arriver trop vite. Il ne veut pas se coucher dans cette petite chambre vide, sans âme, avec le ventilateur au plafond pour seule horloge. Il ne veut pas se réveiller demain matin, en sueur – moiteur... moiteur... à en liquéfier les corps – et aller au rendez-vous que lui a donné Job. Tout sera laid. Les Américains seront en place. Il sort d'une réunion avec eux, à l'ambassade. Le ton a changé. Plus personne ne lui demande d'évaluer Sullivan Sicoh. Plus personne ne lui demande d'avoir un avis. Il est l'appât et c'est tout. Ils lui ont expliqué pendant vingt minutes ce qu'il allait se passer : ils lui laisseront le temps de le saluer, de parler un peu, mais assez vite il faudra qu'il trouve le moyen de sortir. Il devra alors confirmer que Job est bien là, puis il n'aura plus qu'à disparaître et eux se chargeront du reste.

Elle a gardé le silence si longtemps après la question que le Dr Hallouche a compris. Il n'insiste pas. Avec son visage gourmand de Libanais, ses mains larges – elle n'avait pas vu qu'elles étaient si larges lorsqu'il la palpait –, il lui parle maintenant de ce que l'on va faire à son corps, du protocole et de ce que cela implique. Il parle doucement, comme à une enfant, et lorsqu'il a fini il sourit et demande : "Vous avez des questions?" Elle en a, oui. Est-ce que je vais mourir? A-t-elle le droit de la poser, cette question, la seule qui lui brûle les lèvres? Est-ce qu'elle va mourir? Oui, bien sûr qu'elle va mourir. Ce n'est pas cela qu'elle devrait demander. Bientôt? Est-ce qu'elle va mourir bientôt? Mais elle ne demande rien, se retient, dit "non" doucement. Alors il prend son planning et lui demande : "Quand est-ce que vous pouvez revenir? Il faut que nous commencions le plus vite possible." Et c'est comme s'il répondait à la question qu'elle n'a pas osé poser. Alors elle ouvre son agenda, s'embrouille un peu, et soudain lui reviennent les vers de Cavafy : "Corps, souviens-toi non seulement de l'ardeur...", et plus que les vers, c'est la voix d'Assem qui la remplit, son grain de voix exact, le rythme de son phrasé : "Corps, souviens-toi..." et cela la remplit de force, c'est comme s'il venait de l'enlacer et de lui dire à l'oreille, rien que pour elle, des choses justes, pas réconfortantes, pas gaies, mais vraies. Alors elle relève la tête et le Dr Hallouche voit en elle une détermination qui le surprend et elle dit avec une voix ferme : "La semaine prochaine, quand vous voudrez..."

Lorsqu'il arrive dans Hailé Sélassié Street, une voiture s'arrête à son niveau. Le chauffeur passe la tête par la vitre baissée et lui demande : "Taxi?" Il fait non de la main et la voiture repart doucement. Il marche. Son esprit revient toujours à Sullivan Sicoh. Il se souvient de cet instant où Job avait parlé de Chris Kyle et d'Eric Maddox, les héros de la nation revenus au pays, à la vie civile, au ventre arrondi par la bière et aux soirées au bar où l'on raconte pour la dixième fois un assaut près de Falloujah, avec la bouche de plus en plus pâteuse et le regard de plus en plus tombant. Il en avait parlé avec dégoût. Les conférences de Maddox, micro accroché à l'oreille, manches de chemise remontées au coude, allant venant sur la scène comme s'il faisait un stand-up, ponctuant son récit de petites blagues bien rodées. Il avait parlé de tout cela et dans sa voix il y avait de la terreur. Est-ce qu'il a décidé d'aller et venir de Beyrouth à Addis Abeba pour échapper à cette vie civile? Prolonger le danger et ne plus jamais revenir à la vie d'avant? Parce qu'il sent que la paix le terrasserait plus sûrement que les nuits d'hélicoptère dans le ciel d'Afghanistan? Il comprend cela. Il se souvient de son dernier voyage au Kurdistan irakien. Lorsqu'il était allé former le groupe de la jeune Shaveen. Au retour, son vol avait fait escale à Vienne. Les heures passées dans cette aérogare, il s'en souvient… Il quittait Erbil et les camps d'entraînement kurdes. Il quittait le regard droit de Shaveen qui se battait parce que sa sœur avait été enlevée par Daech lors de la prise du mont Sinjar. Il quittait les camps de réfugiés, avec toutes ces mères qui ont le visage épuisé et contemplent leurs enfants qui jouent dans la boue en se maudissant de n'avoir rien d'autre à leur offrir. Il avait quitté tout cela et deux heures plus tard à peine, d'un coup, en sortant de l'avion, alors que sa veste avait encore l'odeur du Kurdistan, les duty free à perte de vue, les valses de Vienne en musique d'ambiance dans tous les couloirs. C'était le mois de décembre, alors bien sûr les jouets en tête de gondole et les faux pères Noël aussi… Il avait été tétanisé, ne sachant plus que faire, ne pouvant ni parler, ni avaler quoi que ce soit. C'est le même monde. À deux heures de vol à peine. Le même monde : cette vendeuse aux cheveux nattés à la robe tyrolienne ridicule avec décolleté pigeonnant, pour que les hommes d'affaires s'arrêtent et achètent une boîte de chocolats ou un saucisson sous cellophane, vit dans le même monde que Shaveen, fusil automatique en bandoulière, ou que les gamins pieds nus du camp de Kawergosk, qui n'ont pas encore compris, parce qu'ils sont trop petits, que leur mère est en train de s'assécher, chaque jour qui passe, et qu'elle n'aura bientôt plus de sourire en elle. C'est le même monde, laid d'être si différent, côte à côte. Et la vendeuse aux nattes blondes qui bat légèrement le rythme de cette valse de supermarché ne se doute pas de l'existence de Shaveen, comme les peshmergas n'ont pas le temps de penser qu'il existe peut-être un endroit où les montres sont en piles dans des boîtes en plastique et où l'on vend des saucissons en musique. Passer de l'un à l'autre, c'est ce qui est le plus dur. Et c'est peut-être ce qui a terrassé Job… Après la nuit d'Abbottabad, après le porte-avions et la cérémonie où la dépouille a été jetée à la mer, on lui demandait de rentrer chez lui, dans son bled du Michigan, d'aller serrer la main de ses voisins, de prendre son pick-up jusqu'au môle le plus proche et de remplir son frigidaire de yaourts ? Comment peut-on faire cela sans être déchiré d'un peu de soi à chaque passage d'un monde à l'autre ?

Hannibal ne dit pas un mot. Depuis deux jours, il n'a adressé la parole à personne. Les flots font tanguer le navire. À perte de vue, il n'y a plus que ce ciel gris qui se confond avec la couleur métallique des eaux. Il quitte les côtes romaines et retourne vers Carthage, laissant derrière lui ses victoires et sa légende. Les Romains ne tremblent plus. À quel moment la peur a-t-elle changé de camp ? Est-ce lorsque Scipion a réussi à prendre Carthagène, s'emparant d'un énorme butin d'or et de matériel ? Tout s'est toujours joué là, sur la péninsule ibérique. C'est la clef de cette guerre totale qui va de Gibraltar à la Grèce. Ils avaient pensé un temps, lui et ses frères, qu'ils parviendraient à réunir les deux armées puniques, la sienne et celle d'Hasdrubal. Lui devait descendre des monts de Calabre pour remonter vers le nord et Hasdrubal débarquer au nord de Rome et marcher vers le sud. Mais Hasdrubal a perdu à Métaure. Et il est là, maintenant, à ses pieds, sur ce pont de navire mouillé par les embruns, dans ce sac qui pue. Il est là, retournant vers sa terre natale, défait. Ni lui ni Magon ne reverront Carthage. Ses frères l'ont épaulé dans les batailles mais aujourd'hui c'est en morceaux qu'il les ramène à leur mère. Il y a eu ce jour où on lui a apporté un panier d'osier envoyé par les Romains eux-mêmes, ce jour qui lui a déchiré l'âme. Dans le panier, il y avait la tête d'Hasdrubal, méconnaissable, le visage tuméfié, la bouche sèche, les cheveux souillés par la boue. Ils lui ont envoyé la tête de son frère pour le troubler, le faire sortir de ses gonds, le rendre fou. Il s'est fait raconter la bataille de Métaure des dizaines de fois. On lui a dit que lorsqu'Hasdrubal a senti qu'il perdait, il a chargé tout droit vers l'ennemi. Il ne voulait pas survivre à sa défaite. Il savait trop bien que si la bataille de Métaure était perdue, les deux armées ne se réuniraient jamais, et que si elles n'y parvenaient pas, il serait impossible de vaincre Rome. Alors il a chargé tout droit sur la ligne ennemie, pour mourir au combat. Magon a péri aussi. Il est tombé de cheval, la cuisse transpercée. Ses hommes ont réussi à l'extraire de la bataille, à le ramener à bord d'un des navires qui mouillaient au large de Gênes, mais il est mort à bord, emporté par la fièvre dans une odeur insoutenable de pus et d'encens. Il pense à eux, à cette guerre qui a dévoré ceux qu'il aimait le plus et il se tait, car il n'y a que le silence qui puisse envelopper tant de morts.

Assem marche dans les rues d'Addis Abeba où sa présence, souvent, fait se retourner un enfant qui, dès qu'il est passé, tire la robe de sa mère pour lui dire, avec un ton de comploteur : "Tu as vu, maman, le Blanc… ?" Il marche et il se dit qu'il n'est pas sûr de pouvoir survivre au changement de monde le jour où Auguste lui dira qu'il a bien travaillé, que pour l'instant il n'a pas d'autre mission et qu'il peut aller se reposer. Il aimerait bien parler de cela avec Job. Demain. Dans le quartier du Lion de Juda, au troisième étage de cet immeuble où il l'attend, mais il sait qu'ils ne pourront pas. On ne leur en laissera pas le temps. Et plus il marche, plus l'idée grandit en lui qu'il trahit Sullivan Sicoh. Et il espère que l'autre, dans sa clairvoyance d'halluciné, a tout prévu. Il espère que Job se joue de lui, d'eux, de tout le monde, et qu'il sait comment leur échapper.

Une victoire militaire. C'est de cela qu'ils ont besoin. Il faut que Petersburgh tombe. Ou Atlanta. Une des deux villes confédérées dont ils font le siège depuis des mois. Il faut qu'elles tombent, sans quoi Lincoln ne sera pas réélu. C'est ce qu'espèrent Jefferson Davis et Robert Lee. Ils veulent gagner du temps. S'ils arrivent à résister aux sièges jusqu'à l'automne, l'Union votera pour les Démocrates et une paix sera signée. Il n'y a qu'une victoire militaire qui puisse sauver le camp de l'Union, car tout s'embourbe, rien ne marche. Grant fume cigare sur cigare, ne dort plus. À sa femme qui lui écrit des mots pleins de sollicitude et de tendresse, il voudrait répondre qu'une mare de sang les sépare. Il pense parfois que la meilleure chose à faire est de s'éloigner d'elle. Quelle vie sera possible après tout cela ? Comment pourra-t-il oublier l'odeur de la poudre, la vision des cadavres ? Il est resté trop longtemps dans la guerre. Des jeunes gens sont morts d'avoir suivi ses ordres. Et pourtant, Julia continue à lui parler de Lincoln, l'exhorte à s'accrocher aux mots du président. Elle doit sentir qu'il se perd. Elle répète, au fil des lettres qu'elle lui envoie, que l'Histoire leur donnera raison, que l'abolition de l'esclavage est un progrès considérable, mais il n'entend plus, ne relit même plus les lettres pour essayer d'être touché par ces mots. Tout lui paraît trop loin. Seules les lettres de Sherman l'apaisent un peu. Car ils parlent la même langue. Dans la dernière, son ami lui annonçait la mort du jeune McPherson, officier brillant de trente-trois ans, abattu sous les murs d'Atlanta à cheval car il avait refusé de se rendre. Sherman a pleuré lorsqu'on lui a ramené son corps. Combien de jeunes gens comme celui-là faudra-t-il encore enterrer ? Les meilleurs de la nation. Combien d'hommes qui auraient pu vivre et, un jour, diriger le pays ? McPherson avait des qualités d'exception.

"Il éclipsera Grant et moi-même", aimait dire Sherman à qui voulait l'entendre et maintenant ce n'est plus qu'un corps mort, à qui l'on rend les honneurs mais qui ne servira plus jamais à rien. Quel gâchis. Des mois entiers de gâchis… Il ne veut pas entendre parler de cause juste, de lutte pour la liberté. Il n'en peut plus. Il veut simplement que Sherman prenne Atlanta. Il n'y a que cela qui fera cesser la saignée. Il faut qu'Atlanta tombe, ou Petersburgh. Mais pour l'heure rien ne bouge.

Il traverse la Méditerranée, rentre à Carthage et il sait que ce qui s'ouvre maintenant, c'est le temps de la politique, des alliances et des trahisons. Pour la première fois depuis treize ans, il n'a plus l'initiative du combat. C'est Rome qui joue maintenant, Rome qui le provoque en lui envoyant la tête de son frère comme il l'avait lui-même provoquée en brûlant les terres de Toscane. Jusqu'à présent il a connu l'épreuve, la souffrance, il a connu l'horreur, la peur du champ de bataille, les tripes à terre et les hommes qui râlent, mais il y avait la victoire au bout, chaque fois. Il avait quelque chose à offrir à ceux qui avaient survécu. Et cela suffisait. Jamais aucun de ses hommes n'a voulu faire sédition, jamais de frondes, de complots, de soulèvements. Pas le moindre grognement de désobéissance. Même Alexandre le Grand a été abandonné par ses hommes sur les bords de l'Hyphase. Lui, non. Ils l'ont suivi. Mais dorénavant ils vont commencer à avoir peur. Dorénavant la défaite sera là, les soirs de campement, pour les user encore un peu plus. Il va falloir mener son armée malgré tout, conserver son sang-froid, tenir. Le camp carthaginois va se désagréger. Et s'il veut l'emporter, il devra gagner cette guerre-là qui ne se joue pas sur un champ de bataille : museler Hannon, empêcher Massinissa de changer d'alliance. Il contemple la mer avec toujours à ses pieds le sac contenant la tête de son frère et il espère qu'il lui sera donné, à lui aussi, s'il doit être battu, de ne pas survivre à sa défaite.

La plupart des hommes montent au front en hurlant parce qu'ils ne peuvent faire autrement, parce qu'ils ont trop peur. Sherman, non. La chaleur est étouffante. Des gouttes de sueur lui coulent le long du cuir chevelu sous le chapeau, mais il reste droit sur son cheval. Les hommes le regardent pour se donner de la force, il le sait. Comme il sait que dans ces instants-là, ceux de la violence brutale du combat, il lui a été donné d'être calme. D'où lui vient ce don, il l'ignore, mais il en a toujours été ainsi. Il est fou. Il ne l'a jamais caché. Tout le monde le dit : Sherman est dément. Une mélancolie maladive le ronge. Il a des sautes d'humeur et est sujet à ce que ses hommes appellent des "excentricités" – mais pas là, jamais. Sous le feu, tout s'apaise. Il voit les choses avec netteté. Et le danger qui l'entoure, au lieu de le paralyser, lui donne une concentration accrue. Il sait que c'est un don : le sang-froid dans la bataille. Grant est pareil. Et tous les grands guerriers de l'Histoire, ceux qui sont capables de saisir une opportunité dans la mêlée, de voir une trouée, d'inverser le cours des choses. Il est calme. Il voit ce que sera la bataille : tout se joue sur la voie ferrée, au sud d'Atlanta. C'est là qu'il ordonne l'assaut, car c'est là que tout peut céder.

Assem marche dans la Hailé Sélassié Street tandis que la nuit tombe. La voix de son oncle le hante. Cela l'énerve, l'épuise. C'est la dernière chose dont il voulait se souvenir aujourd'hui mais son esprit semble avoir décidé d'accroître son désarroi. Son oncle Damien, professeur de politique internationale à Sciences Po, passionné de poésie, son oncle qui lui a mis dans les mains les poèmes de Pasolini, de Darwich, de Césaire pour qu'il connaisse la voix rebelle du monde. Il l'entend là, dans les rues mal éclairées d'Addis Abeba, son oncle qui lui dit : "Un homme libre, nom de Dieu...! C'est cela qu'aurait aimé ton père." Il ne veut pas se souvenir de cela parce que la tristesse est trop grande mais il est bien obligé, la mémoire ne le laisse pas tranquille. Il vient d'annoncer à son oncle qu'il part pour Saint-Cyr. Il l'a fait avec joie et l'autre, en face, garde un air grave et en appelle à la mémoire de son père : "Un homme libre... C'est cela que voulait ton père pour son fils!", et c'est comme une gifle. Il ne veut pas se fâcher avec cet homme qu'il aime, cet homme qui l'a élevé depuis l'âge de dix ans lorsque ses parents sont morts dans un accident de voiture, il ne veut pas crier parce que son oncle a tout fait et l'aidera encore, en lui présentant un jour, lorsqu'il sera revenu de Saint-Cyr, un ancien directeur de la DGSE, mais aussi et surtout en lui mettant entre les mains la poésie d'Éluard, de Neruda. Il ne veut pas crier et il ne le fait pas, il s'en va simplement. Ils n'en reparleront jamais. Son oncle ne lui fera plus de reproches, l'épaulera même, lorsqu'il le pourra, mais cette phrase reste : "Un homme libre..." Il ne l'a jamais oubliée. A-t-il trahi l'esprit de son père en s'engageant dans l'armée ? A-t-il été libre, lui, depuis vingt ans, de mission en mission? Et n'est-ce pas cela que veut Sullivan Sicoh : s'affranchir de l'armée, de l'obéissance, s'affranchir de lui-même, de tout, pour ne vivre qu'à sa façon, dans la nuit?

Lorsqu'il accoste sur la côte punique, il sent d'emblée que les hommes ont peur. La flotte romaine le précède de quelques jours. Elle est immense et mouille, dit-on, un peu plus à l'ouest, vers le détroit de Gibraltar. Carthage a fermé ses portes. La peur, il la voit dans les regards, dans la façon dont il est accueilli. Tout le monde pense la même chose : le vent a tourné et, s'ils n'ont pas réussi à faire plier Rome, c'est Rome, maintenant, qui les mangera. On parle d'une immense armada. De quatre cents navires de charge transportant hommes, chevaux, nourriture, armement, escortés par quarante navires de guerre. Jamais personne n'a vu chose pareille. Rome relève la tête et elle vient pour mordre. Lui ne dit rien, serre les mâchoires. Ceux qui pensent que tout est joué ont tort. Il doit rentrer le plus vite possible pour empêcher Hannon de distiller le doute, pour convaincre les hommes que rien n'est perdu. Ce qui se joue depuis treize ans est une guerre d'empire. Est-ce que vraiment Carthage pensait pouvoir la mener sans souffrir? Ou en ne faisant souffrir que ses soldats? C'est leur tour maintenant de subir la morsure de l'attaquant sur leurs terres. Pourquoi pas? Leurs villages vont brûler comme ont brûlé les villages de Toscane. Les civils vont trembler, espérant ne jamais être sur le chemin des armées. La guerre sera partout. Mais il sait la mener. Ils ont tellement souffert déjà, supportant des épreuves que personne n'aurait imaginées, des marches forcées, des nuits à grelotter, les Alpes et les massifs noirs de Calabre, ils ont tant enduré mais il y a une chose à laquelle il n'est pas habitué : lire la peur sur les visages qui l'entourent. Chaque fois que l'on s'adresse à lui, qu'on le salue, c'est elle qu'il voit – pas la peur qui précède les combats, pas la peur de la douleur ou de la mort, non, une peur plus sombre : celle qu'à la fin, tous ces mois, toutes ces années de batailles ne se soldent que par la défaite.

Sherman souffle enfin. Les sudistes ont fini par céder. Ils ont reculé et se sont enfermés dans Atlanta. Ce qui commence maintenant est autre chose. Faire tomber une ville est chose laide. C'est comme un étranglement à main nue. Cela prend du temps mais il n'y a plus d'incertitude, car l'étranglé a beau s'agiter, il ne peut plus se sauver. On voit la bouche de son ennemi s'agrandir, chercher de l'air. On voit ses yeux s'écarquiller, on sent la vie, musculaire, nerveuse, qui se débat, qui veut s'échapper, se soustraire à la pression. Il sait faire cela. Alors, il étrangle Atlanta, pilonne les bâtiments et les rues, coupe les axes de ravitaillement jusqu'à ce qu'Atlanta finisse par tomber. Enfin. Un grand calme résonne en lui. Y a-t-il encore de la place pour la joie ? Grant sous sa tente au pied de Petersburgh hurle-t-il de soulagement lorsqu'on lui apprend la nouvelle par télégramme ? Il n'y a que le silence possible, un grand silence d'épuisement. Sherman marche parmi ses hommes, félicite avec sécheresse ses artilleurs et s'apprête à entrer dans la ville détruite. Dans quelques jours, il recevra une lettre de Grant, le seul peut-être à savoir ce qu'il a accepté de donner de lui-même à cette guerre : "Cher général Sherman, votre succès est le plus important qu'un général ait été en mesure de remporter au cours de cette guerre. L'Histoire reconnaîtra que votre campagne a été menée avec un talent et une habileté incomparables, pour ne pas dire inégalables", et il pensera que ce sont de drôles de mots pour une strangulation. Mais il n'a pas besoin de lire cette lettre pour savoir qu'avec la chute d'Atlanta, Lincoln vient d'être réélu. Il n'a pas besoin de savoir que Grant fait tirer une salve de cent coups de fusil sur les murs de Petersburgh en son honneur pour entendre la joie de son camp et les prémices de la victoire. Il ne dit rien mais c'est parce qu'il sait que tout n'est pas fini et que même, étrangement, le pire est à venir. Il va falloir traquer l'ennemi, le harceler. Quelque chose commence à partir de maintenant qui est plus proche de la victoire mais – il le sait et il est certain que Grant le sait aussi – qui sera sale, plus sale encore que ce qu'ils ont accompli jusqu'alors.

En quittant l'immeuble du Dr Hallouche, elle sent qu'elle a besoin de s'arrêter dans un café pour souffler et se reposer. Elle s'installe à une table et commande un expresso. Elle ne pense à rien, essaie juste de faire le vide en elle, laisse les passants défiler sans y prêter attention. Et puis soudain ses yeux sont attirés par l'écran de télévision qui est au fond de la salle. Ce sont des images de chez elle. Elle n'entend pas le son mais elle reconnaît les lieux. Hatra. Tout continue là-bas. Ils ne se contentent pas du musée de Mossoul. Ils avancent et, partout où ils passent, ils brisent les statues et font sauter les ruines à la dynamite. Elle ne pensait pas voir cela durant sa vie. Ils avancent et ils effacent les sites un à un. Nimroud. Hatra. Avec des maillets, avec des bulldozers, ils frappent contre les murs antiques, retournent les pierres qui avaient tenu. Et lorsqu'il est encore des temples ou des palais debout, ils les piègent de dynamite et tout part en fumée. Elle regarde les images à la télévision. Tout se mélange. Les époques se mêlent et les cris aussi. Les ombres des princesses assyriennes de Nimroud errent dans la poussière en se tenant la tête comme des pleureuses. Les archéologues du passé se frappent le torse et injurient les barbares. Elle les voit, Hormuzd Rassam, Max Mallowan, tous ceux qui ont passé des jours à creuser ces terres sèches. Ils sont déchirés par la violence des explosions. La poussière retombe et ce qu'il reste est un désastre. Les visages des statues sont défigurés, les colonnes à terre. Ce ne sont plus des sites archéologiques mais des terrains vagues. La terre a englouti ces vestiges. Lui revient alors soudainement en mémoire ce petit objet du Pergamonmuseum de Berlin, couvert d'écriture cunéiforme. Elle était restée stupéfaite lorsque, jeune femme, elle l'avait découvert. L'étiquette collée sur la vitrine proposait une traduction des inscriptions antiques : "Vous, si vous trouvez cet objet, reposez-le en terre, reposez-le et passez votre chemin car il n'est pas fait pour la lumière mais pour le royaume de l'éternité." Cela l'avait assommée. Cet objet-là, qui suppliait les vivants de ne pas le prendre, était maintenant exposé dans une vitrine de musée. Était-ce cela, son métier ? Voler des objets au néant ? Aller contre la volonté de ceux qui les avaient conçus ? Le temple d'Hatra, n'aurait-il pas mieux valu le laisser en terre? Comme les tombeaux de Philippe de Macédoine ou la Vallée des Rois? Nous entrons par effraction dans le monde des morts, nous en saisissons des objets et les offrons au carnage des vivants, dynamites, pelles, bulldozers... Elle n'en peut plus, ne sait plus, se met à pleurer... Elle enrage. L'idée naît en elle que le prochain site sera Palmyre et cela la révulse, alors elle essaie de se calmer, repense à la question du Dr Hallouche : "Est-ce que vous êtes entourée?" De moins en moins. C'est cela qu'elle aurait dû répondre. De moins en moins s'ils brûlent Hatra et Nimroud. De moins en moins si on lui enlève ces antiquités qui jusqu'ici n'avaient pas peur du temps.

Il l'a longtemps désiré, cet instant. Depuis ces trois longues années d'humidité anglaise, de froid et de promenades grises, il n'a pensé qu'à cela. Il est enfin sur le chemin du retour et il foule, pour la première fois depuis sa fuite, le sol du continent africain. Et pourtant, une mélancolie s'est emparée de lui : ce n'est pas l'incertitude des combats à venir, ce n'est pas la peur de ne pas reprendre Addis Abeba, c'est une question qui le hante : a-t-il jamais été autre chose que le jouet des nations? Il regarde la rue d'Alexandrie, à ses pieds, qui grouille et vit avec urgence, dans cet hôtel où il est descendu sous le nom de Mr Strong, et il se sent triste. Il revient, mais c'est au gré de la guerre. Les nations européennes, qui l'avaient méprisé, ont soudain changé d'avis. La France et l'Angleterre se battent contre l'Allemagne et l'Italie et, tout à coup, certains experts ont émis l'idée que ce roi des rois en exil pourrait bien être utile s'il était en mesure de soulever son pays… Il sait que c'est exactement cela qui s'est dit dans les chancelleries. Il en a toujours été ainsi. Quand a-t-il été maître de son destin et de celui de son pays? Sa défaite contre l'Italie s'est décidée lorsque l'Angleterre et la France ont refusé de lever l'embargo. Dès lors, tout était scellé et la bravoure de ses guerriers n'y pouvait rien changer. Aujourd'hui, il profite des aléas de la grande guerre qui ronge l'Europe. A-t-il jamais décidé de quoi que ce soit? Il rejoindra Khartoum sous peu et essaiera de passer dès que possible en Éthiopie pour que l'on sache que l'empereur est revenu. Il se rapproche de jour en jour, mais il le fait accompagné de la France et de l'Angleterre. Le colonel Monnier l'a devancé, Wingate l'accompagne comme un chaperon. Comment pourrait-il ne pas voir qu'il ne décide rien? Il retrouvera son pays et son trône si les Alliés gagnent contre l'Allemagne et, au fond, son sort est toujours lié à cela : au bon vouloir de l'Europe et au jeu des nations. Depuis son discours à Genève il a en haine ces contorsions diplomatiques. Il ne le dira pas. Il restera impassible et témoignera à Wingate une réelle amitié mais, lorsqu'il regarde à ses pieds la rue d'Alexandrie, il sait que son surnom est usurpé. Il aurait dû s'appeler Mr Weak car c'est ce qu'il est : faible et dépendant de l'Angleterre pour espérer pouvoir un jour rentrer chez lui en triomphateur.

Elle a toujours aimé Paris. Elle se souvient des après-midi à Alexandrie où, en traversant toute nue la chambre baignée de lumière dans laquelle ils venaient de faire l'amour, elle demandait à Marwan avec un ton ingénu : "Quand est-ce qu'on achète un petit appartement à Paris ?" Et ils riaient comme deux jeunes gens à cette idée de se voir tous les deux, serrés l'un contre l'autre sur la passerelle des Arts ou dans les ruelles du 5ᵉ arrondissement. Marwan avec son pas lent et elle accrochée à son bras comme pour se laisser porter par son géant qui se retournerait souvent au passage des Parisiennes et qu'elle devrait gourmander en lui tapant sur la main devant tant d'appétit, lui rappelant qu'il était marié, et cela les ferait rire… Oui, ils y avaient pensé souvent. C'était avant ce jour où Marwan était venu sans rester, avec cet air d'enfant puni et sa voix terne. Il était malade. Elle l'avait appris plus tard, par des collègues. C'était cela, alors ? Juste cela : à l'approche de la mort, de la souffrance, il retournait auprès de sa femme ? C'était cela ? Tout le reste était balayé. Tout le reste n'avait été que divertissement ? Est-ce qu'elle n'aurait pas été capable de prendre sa part de la souffrance ? De l'entourer ? Et elle, aujourd'hui, vers qui peut-elle se tourner ? Est-ce pour cela, précisément, qu'elle repense à lui en ce moment ? Parce que si elle le pouvait, s'il était encore en vie, c'est vers lui qu'elle aimerait aller ? Elle descend l'avenue d'Iéna, profitant de la beauté des façades éclairées par cette lumière grise qui fait de Paris un palais de zinc. Elle est résolue à venir s'installer ici. Elle arrangera son emploi du temps avec le British Museum. À sa gauche, elle laisse le musée Guimet. Elle hésite un temps, envisage la possibilité d'y entrer, juste pour revoir les statues du Gandhara dans la grande salle du rez-de-chaussée, la beauté stupéfiante de l'homme aux moustaches, le torse couvert de colliers, et puis elle renonce, elle veut être à Paris, dans la rue, sans statue, sans histoire, juste dans le présent de cette marche, laissant doucement le visage du Dr Hallouche s'effacer et ses mots, "protocole", "combat", "chimiothérapie", s'éloigner… Elle en veut d'autres, des mots, des mots qui la réconforteraient. Et puis d'un coup, elle repense à l'homme d'hier soir, celui qui l'a abordée au bar de l'hôtel Pullman. Il était 11 heures. Elle était descendue pour cela, parce que rester dans sa chambre n'était plus possible. Elle avait envie de crier ou de fuir. Elle s'était habillée, maquillée, se demandant si un homme s'approcherait, à la fois dégoûtée par ce qu'elle faisait et impatiente de le faire, un homme, n'importe lequel, pour ne pas rester seule avec ses démons, comme on dit, mais il n'y a pas de démons, juste une écrasante solitude. L'homme est venu. Elle n'a pas attendu bien longtemps. Ils se sont mis à parler. Les mots que l'on échange dans ces moments-là, qui ne sont que le prélude un peu pressé, un peu gêné de la rencontre des corps, et parmi ses questions qui n'en étaient pas vraiment, elle a demandé : "Qu'est-ce que vous faites dans la vie ?" et là, au lieu de répondre n'importe quoi, ce qu'il voulait – il pouvait s'inventer médecin ou architecte, cela n'avait aucune importance –, il est devenu blanc et il a dit : "Je suis un raté." Elle a su alors que tout le reste serait pénible. Elle a su qu'il n'y aurait pas de nuit dans le lit, ni de jouissance, mais il était trop tard : l'autre parlait, disait qu'il avait tout raté et dans tous les domaines, ma femme que je trompe et qui le sait, mon boulot de merde, et il continuait, plus rien ne pouvait l'arrêter, il se vidait, et elle a dû partir, n'en pouvant plus, le laissant pleurnicher sur son tabouret devant un nouveau verre de whisky qui finirait par l'endormir et alors seulement il se tairait. Elle y repense aujourd'hui, et se souvient du dégoût violent qu'elle a ressenti face à cet homme, jusqu'à se lever et partir sans le laisser finir sa phrase… Elle a eu peur d'être comme lui. D'avoir tout raté. La vie amoureuse qui la laisse seule au bout du compte, un métier qui la fait courir après des objets que le monde engloutit. Tout rater, est-ce que c'est cela ? Elle a fui parce qu'il lui a semblé que c'était un miroir qu'on lui tendait et que c'était elle qui était assise sur ce tabouret en cuir, parlant dans sa barbe comme si elle parlait à son verre, le dos courbé pour se cacher aux yeux du monde, mais non, elle s'est trompée. Elle marche, traverse la Seine sur le pont de l'Alma. La lumière fait scintiller les eaux avec les mêmes reflets que les toits. Paris est là, légère, argentée, et elle sait qu'elle n'a pas connu l'échec comme cet homme. Ce n'est pas ainsi que les choses se sont jouées. Réussir ou rater, non. Elle a réussi ce qu'elle a entamé, ce à quoi elle s'est appliquée. Elle a plongé dans la vie avec passion, s'est débattue, a bataillé… Où est l'échec ? Ce qu'elle connaît, c'est la défaite, mais c'est autre chose. Là, dans le cabinet du Dr Hallouche : la défaite. Ce sentiment que quelque chose se présente qui vous engloutira et à quoi on ne peut se dérober. Face au chaos dans les rues d'Erbil, la défaite… Et avec les destructions d'Hatra et de Nimroud aussi. La vie la met à mal, détruit ce qu'elle avait bâti, renverse tout ce qui semblait solide, la défaite, oui, au moment où Marwan l'a quittée, retournant à sa femme comme un chien qui boite retourne à sa niche, mais pas l'échec, et elle respire profondément alors, car elle sait que ce qu'elle traverse, cette fatigue du corps, ce sentiment d'être entamée, de ne plus être en plénitude comme on ne peut l'être qu'à vingt ans, ce morcellement de soi minuscule, imperceptible qui entrave l'élan que l'on ne peut avoir, qui rend moins gracieux, moins euphorique, donne sans qu'on le sente même un air plus peureux, plus fragile, c'est l'arc profond de la vie et pas une défaillance personnelle. Cette défaite-là n'est le résultat d'aucun mauvais choix, d'aucune erreur ou lâcheté, elle pouvait laisser l'homme du bar répéter "Je suis un raté, je suis un raté", elle a vécu, elle, et n'a rien raté. Vient seulement un jour le moment de la capitulation et avant cela, de façon progressive, la bascule dans la perte, ce deuxième temps de la vie où les forces s'amenuisent, où le jaillissement, l'étonnement, la surprise deviennent plus rares, juste cela, l'entrée dans le temps de la défaite mais qui fait partie du reste et qu'elle va essayer de vivre pleinement, sans échec là non plus, pour rester elle-même, Mariam, jusqu'au bout. Et tandis qu'elle marche sur l'esplanade des Invalides, elle répète en souriant ces mots, toujours : "Corps, souviens-toi…", ces mots qui lui font du bien parce qu'ils la ramènent à cet homme, Assem, qu'elle aime, celui qu'elle est peut-être sur le point d'aimer plus que tous les autres parce que son image grandit en elle, mois après mois, et que même s'ils ne se sont vus que lors de ce séjour à Zurich, même s'ils ne se reverront peut-être jamais, c'est lui, elle le sait, qui lui a donné les mots qu'elle cherchait.

IX

ADDIS ABEBA

Il se décide à traverser l'avenue. Addis Abeba grouille d'activité. Il passe entre deux voitures aux amortisseurs si fatigués que les pare-chocs traînent quasiment par terre, plonge un temps dans le chaos de la circulation et ressort de l'autre côté du flux embouteillé des carlingues. Les Américains sont en place. Il les a repérés. Deux en bas de l'immeuble. Un troisième un peu plus loin. Certains ont dû s'installer sur les toits. Une voiture est sûrement prête à intervenir. Ils sont là, le piège est en place et la statue du lion de Juda regarde les conspirations des hommes et le brouhaha incessant des voitures avec la même indifférence.

Addis Abeba est en liesse. Il entre dans sa ville avec Wingate à ses côtés. Derrière eux marchent, triomphants, les hommes de la force Gédéon : Éthiopiens, Soudanais, Kényans, tous mélangés, tous en haillons, mais la foule ne le voit pas, tous miséreux, mais elle les acclame avec ferveur. La guerre qui les entoure partout, la guerre qui fait trembler le monde, la Deuxième Guerre mondiale leur offre la victoire. Les Italiens reculent et Addis Abeba retrouve le roi des rois. Ils ont marché depuis le petit village de Um Idla jusqu'au mont Belaya où la force Gédéon a installé son QG. Ils ont marché, grossissant de village en village, soulevant les campagnes. Ils ont marché pour redonner à l'Éthiopie une dignité que la Société des Nations lui avait volée et aujourd'hui la rue acclame le Négus retrouvé.

Lorsqu'il pénètre dans l'immeuble, la pénombre lui fait du bien. Deux jeunes garçons sont assis sur les marches de l'escalier, échangeant avec avidité des billets ou des photos. Ils le laissent passer en relevant à peine la tête. Lui monte l'escalier. Il fait moins chaud ici. Les hommes du commando ne vont pas tarder à entrer à sa suite, c'est certain. Ils vont dire aux deux gamins d'aller jouer ailleurs – et ils le feront en ramassant en hâte leur pauvre trésor. Il sait tout cela. Il a vécu des instants similaires tant de fois dans d'autres villes. La voiture va venir se garer en face de l'immeuble, moteur allumé, portière ouverte. La seule chose qu'il ne sait pas, c'est si ce sera pour emmener Job ou pour faire disparaître les traces qu'auraient pu laisser ceux qui l'auront assassiné.

La foule hurle à son passage. La ville est en liesse. Hailé Sélassié retrouve Addis Abeba qu'il a quittée quelques années plus tôt alors qu'elle était mise à sac, Addis Abeba qui a vécu l'occupation et a essayé de se battre, comme ce jour où neuf grenades furent lancées sur Graziani, neuf grenades qui auraient dû le tuer neuf fois mais il est difficile de tuer les hommes qui vivent par le sang et le sort parfois a des égards étranges. Graziani s'est relevé et Addis Abeba qui retenait son souffle a dû baisser la tête à nouveau. Elle chante aujourd'hui, exulte au passage de son empereur, avec Wingate à ses côtés – et lui se demande ce qu'est une victoire dans laquelle on n'a remporté aucune bataille. Il est revenu grâce aux Anglais. Il n'a pas mis en déroute les armées de son ennemi. Addis Abeba l'acclame mais il entend encore les insultes des journalistes italiens à Genève : "Négrillon…!" Le pays célèbre la victoire mais il sent que quelque chose de la défaite de Maichew n'est pas effacé, ne le sera jamais. Peut-être au fond n'y a-t-il que dans le sang qu'il aurait pu venger cet affront ? Peut-être ne sourira-t-il vraiment que lorsque Mussolini sera pendu par les pieds, piazzale Loreto, à Milan, comme un cochon que l'on va saigner ? Il marche dans les rues d'Addis Abeba. La foule hurle de joie à son passage. Il va régner maintenant, retrouvant ses attributs, retrouvant sa cour, son peuple, son pouvoir. Il ne sera plus un fugitif qui se cache dans des grottes ou un exilé sous la pluie de Bath, il va retrouver le faste et le respect de ses sujets, alors il essaie de savourer sa ville retrouvée, la chaleur qui l'entoure et qui lui a tant manqué. Le peuple, partout, scande son nom, mais il ne sent en lui aucune victoire, ou rien en tout cas qui soit à la hauteur de la défaite qu'il a éprouvée, rien qui efface les minutes d'humiliation à la Société des Nations et l'attente infinie à Bath, comme si la défaite avait toujours plus de poids que la victoire, comme si au bout du compte il n'y avait qu'elle qui restait dans le cœur des hommes.

Il faudra une défaite ou une victoire. C'est ainsi. Hannibal le sait. Tant d'hommes sont morts qui exigent de savoir au moins dans quel camp, vainqueurs ou vaincus, l'Histoire les rangera. Il va livrer bataille ici, sur ces terres qu'il a quittées lorsqu'il était encore enfant. Une vie a passé depuis ce jour où il a pris la tête de l'armée punique et où il a franchi les Pyrénées. Des années de guerre, de sang, des années à réfléchir, élaborer des plans, imaginer des tactiques nouvelles. Aujourd'hui, il est revenu à son point de départ : la côte africaine de la Méditerranée. C'est ici que la guerre s'achèvera. Tout se met en place. Les alliances se sont faites et défaites. Rome a toujours su créer la dissension. Syphax a découvert les accords secrets entre Rome et Massinissa. Il est entré dans une colère noire et a changé de camp. Pendant longtemps, l'Empire romain s'était fait un allié du roi des Massaessyles qui règne sur la Numidie occidentale mais Scipion ne voulait pas en rester là. Il a œuvré dans l'ombre pour retourner Massinissa, le roi des Massyles, et tant pis si ces deux-là sont des ennemis mortels, tant pis s'il a probablement dû promettre à chacun le royaume de l'autre, tant pis même si Syphax finit par se battre aux côtés de Carthage, outré que Scipion ait opéré un rapprochement avec son ennemi. Tout est en place et l'Histoire réclame sa bataille. Les propositions de paix ont été faites et refusées. Le temps des négociations a été étiré au maximum. Hannibal et Scipion se sont vus. Les deux hommes se sont parlé sous une tente qui claquait au vent. Deux heures de discussion pour n'aboutir à rien. Rome ne veut pas négocier. Et au fond, Hannibal trouve cela juste. Il aurait honte de sceller une paix médiocre. Il repense à son frère décapité, à tous les morts de toutes les campagnes passées et il sait qu'ils l'auraient hué dans ses nuits d'insomnie. A-t-il fait tout cela pour finir par signer un traité ingrat sous une tente romaine ? Cela viendra peut-être… Mais pas avant qu'il n'ait pu se battre. Alors il échafaude ses plans en vue de la bataille. En première ligne, il postera quatre-vingts éléphants. Et il se pourrait bien que les Romains pâlissent en voyant ces mastodontes. Cela leur rappellera les quarante éléphants avec lesquels il a traversé les Alpes et qui ont surgi dans la plaine du Tessin. Derrière les éléphants, il mettra les mercenaires gaulois. Ceux-là sont capables de tout. Ils l'ont prouvé à Cannes. Rien ne les fait reculer. Ensuite viendront les Carthaginois. Il y pense depuis des jours déjà. Et il sait que Scipion fait de même de son côté. Il l'a vu dans son regard lorsqu'ils se sont salués. Ils ont parlé, ont fait mine de discuter mais chacun avait déjà à l'esprit la bataille de demain.

Dans une chambre d'hôtel lointaine du passé, Sullivan Sicoh regarde la fille se lever. Elle fait le tour du lit et va dans la salle de bains, offrant au regard ses fesses et la peau claire de son dos. Quel âge a-t-elle ? Vingt ans… ? Il la regarde disparaître avec ses longs cheveux blonds. Le silence envahit la pièce. Il reste allongé un temps puis, lentement, ouvre d'une main le tiroir de la table de chevet et en sort la Bible. Un sourire léger passe sur ses lèvres. Il parcourt les pages du livre au hasard. Soudain, il se fige. Là, sous ses yeux, il vient de trouver le nom qui l'attendait. Il sait que ce sera le sien. C'est comme une évidence. Il murmure la phrase qu'il vient de lire.

Il veut l'entendre résonner dans l'air de la petite chambre qui sent encore l'amour tarifé : "La mort plutôt que ma carcasse…" Il sourit à nouveau mais d'une expression nouvelle, comme si ces lignes avaient été écrites pour lui, puis il dit à voix haute : "Job". Il marque un temps, semble réfléchir puis se lève, saisit son portefeuille et approche de la porte de la salle de bains. La fille, de l'autre côté, est en train de se laver. Elle met du temps à entendre sa voix. Lorsqu'elle finit par couper l'eau, il lui explique qu'il va glisser de l'argent sous la porte, qu'il ne faut pas qu'elle ouvre. Elle demande si tout va bien, a l'air inquiète. Elle n'a probablement pas l'habitude que les clients paient un supplément. Il ne répond pas et fait glisser le premier billet de vingt dollars tout en continuant à expliquer : il veut qu'elle reste là, dans la salle de bains, et qu'elle l'appelle, juste cela, qu'elle l'appelle plusieurs fois de suite. Elle lui demande de répéter, n'est pas sûre d'avoir bien compris. Il passe deux autres billets sous la porte et répète : qu'elle l'appelle par son prénom, c'est tout, rien d'autre, mais longtemps… Puis il retourne se coucher, les bras sous la nuque, dans ce lit qui sent encore l'effort des corps. C'est alors que la voix de la fille résonne et il ferme les yeux pour s'en emplir : "Sullivan…? Sulli…?"

Au troisième étage, Assem s'arrête, reprend son souffle, essaie de profiter une dernière fois du calme qui l'entoure. Il ressort le petit papier qu'il a au fond de la poche et le lit à nouveau : "Dernière porte au fond du couloir à gauche." Il s'avance, s'engage dans le couloir. Les bruits de la rue se sont estompés.

Lorsqu'il passe devant une des premières portes, il lui semble percevoir le bruit d'un téléviseur ou d'une radio. Il continue. Jusqu'à être devant la porte du fond. Il frappe, attend. Rien…

Elle répète encore "Sulli…?" sur un autre ton, d'une voix plus aiguë, plus craintive.

Assem tend l'oreille, frappe encore. Toujours rien. Il pose alors la main sur la poignée et la porte s'ouvre légèrement. Il entend le bruit de la rue à nouveau, la circulation. Il pousse la porte et découvre une vaste pièce qui donne sur l'avenue par laquelle il est arrivé. Une des deux grandes fenêtres est ouverte. Il n'y a personne. Il avance. Pas un seul meuble non plus. Il pénètre plus avant, va voir les autres pièces. Tout est pareil. C'est un appartement vide. Il n'y a qu'une vieille moquette au sol, et cette fenêtre ouverte – signe au moins que quelqu'un est venu il n'y a pas si longtemps. Il respire calmement, se laisse envahir par le silence des lieux.

"Sulli…?" Elle continue, fait consciencieusement ce pour quoi il l'a payée, appelle encore et sur différents tons alors qu'elle doit être en train de se rhabiller. "Sulli…?" C'est cela qu'il voulait entendre, dans cette chambre sans âme où il ne reviendra jamais : son absence. "Sulli…?" Il entend le vide qu'il laissera lorsqu'il aura quitté sa vie.

L'appartement est vide. Assem passe en revue tout ce à quoi il échappe : le faux dialogue avec Job, le moment où il aurait dû prétexter d'aller passer un coup de fil ou fumer une cigarette sur le balcon pour prévenir les hommes qui attendent en bas. Tout cela vient de s'effacer. Job n'est pas là, n'est peut-être même jamais venu à Addis Abeba. Il leur fait un pied de nez. À lui. Aux hommes des services qui le traquent. Il va poursuivre son chemin de folie et Assem est heureux qu'il en soit ainsi. Alors il sourit, se passe la main sur le visage pour essuyer la sueur, se penche par la fenêtre ouverte, contemple le lion de Juda en face, qui règne avec une immobilité de pharaon sur un peuple de voitures. Il fait un signe de la main pour qu'on vienne et on vient. Il entend déjà les hommes qui montent quatre à quatre, croyant encore qu'il y a une mission, alors qu'il n'y a rien, plus rien qu'un appartement vide.

"Sulli… ?" Il ne reste rien de Sullivan Sicoh, rien que ce nom encore, prononcé par cette fille de nulle part qui se taira bientôt, ce nom qui résonne encore une fois ou deux, puis plus. Et il sait à cet instant que tout est véritablement effacé et qu'il a réussi à échapper à ce qu'il était.

Il s'en va. Plus personne ne l'attend et les Américains n'auront pas besoin de ses commentaires pour la réunion qu'ils tiendront ce soir à l'ambassade. Lorsqu'il retrouve la rue, dehors, la chaleur le saisit aux joues. L'air est presque dur à avaler tellement il est épais. Il prend la direction de son hôtel

lorsque soudain, dans son dos, une voix l'appelle :
"Monsieur… Monsieur…" Il n'y prête d'abord pas
attention. "Monsieur…" Il finit par se retourner :
c'est un handicapé, sur une chaise roulante vieille
d'un siècle, aux accoudoirs rouillés, aux roues grin-
çantes. Les pieds de l'homme sont atrophiés, maigres
et tordus comme du bois malade. "Monsieur…" Il
va pour se retourner et partir, laissant l'estropié le
suivre encore un peu puis se lasser, mais quelque
chose dans le regard de l'homme l'arrête. Comme
une connivence, un air initié. Il s'approche, sort un
billet et le lui donne. La foule ne leur prête pas attention, ne voit dans cette scène qu'un Blanc donnant
un billet à un mendiant. L'homme sourit largement.
Il ne dit pas merci. Il le fixe dans les yeux et lui dit
en anglais : "Tripoli. Hôtel Radisson. Le 27 juin à
21 heures." Et il ajoute, comme une sorte d'étrange
signature, cette phrase qu'il a même du mal à dire :
"Moi, si difforme que les chiens aboient quand je
passe… Je n'ai rien d'autre à faire que de regarder
mon ombre au soleil…" puis il sourit de cette citation tronquée parce qu'il a réussi à la dire malgré
tout. Il sent qu'Assem vient de comprendre et qu'il
aura le droit de récupérer l'argent qu'on lui a promis
pour cette mission. Le temps s'arrête. Assem n'entend plus la rue autour de lui. Il reste immobile, saisi
par ces mots. Job est là, entre eux, invisible, parlant à
travers la bouche de l'infirme. Job est là, jouant avec
Richard III et le paralytique éthiopien, se moquant
des hommes des services américains. Il reconnaît sa
voix, même si elle s'exprime par la bouche du handicapé qui ne sait pas au nom de qui il parle, qui
n'a probablement jamais vu Sullivan Sicoh de sa
vie, fait cela juste pour le billet qu'on lui a promis,

mais il sait que ces mots viennent de Job et que le rendez-vous est vrai. Ils se verront encore. Il pourra poser les questions qui le hantent depuis leur dernière entrevue : qu'avons-nous réussi ? À quoi obéissons-nous… ? Il sourit et se sent bien d'un coup, dans cette ville étouffante au milieu de cette circulation chaotique. Il ira à Tripoli. Est-ce que Job a fait exprès de lui donner rendez-vous en Libye ? Est-ce qu'il veut le tester, voir s'il a le cran d'y retourner ? Pas parce que le pays est en guerre mais parce qu'il y a laissé des souvenirs de foule en colère et de dictateur au visage tuméfié. Cela ne peut pas être un hasard. Est-ce qu'il l'emmène en Libye pour qu'il soit à l'endroit de sa fragilité ? Peut-être veut-il qu'il soit nu, hors du monde, face au souvenir de ses limites, comme lui a été hors du monde dans l'hélicoptère qui le ramenait d'Abbottabad avec les camarades qui hurlaient de joie en regardant le corps de Ben Laden à leurs pieds, à l'instant où il a senti la fracture irréconciliable d'avec les autres hommes, peut-être est-ce cela qu'il veut… Qu'il accepte de le rencontrer à l'endroit où quelque chose s'est rompu en lui. Alors seulement ils se parleront… Et alors seulement, peut-être, comprendra-t-il ce qui donne à Job ce regard fascinant, fiévreux et enjoué à la fois, comme si le monde en feu l'amusait parce qu'il en avait percé les secrets.

X

ZAMA

Ils feront à Palmyre ce qu'ils ont fait à Nimroud. Les mouvements de troupes confirment que Daech poursuit sa progression vers l'oasis de Tadmor et la cité antique. Il faut lutter, tenter tout ce qui est possible. Depuis le matin, elle essaie de joindre Khaled al-Assaad au téléphone mais n'y parvient pas. Elle tourne en rond dans son bureau, peste contre le vieux monsieur de quatre-vingt-trois ans qui est injoignable. Elle l'a connu lors d'un stage en Syrie. "Monsieur Palmyre", comme tout le monde l'appelle. Elle se souvient de lui : son beau visage noble avec ses cheveux blancs et ses grosses lunettes qui lui donnent un air d'écrivain égyptien. Elle se souvient des discours qu'il fait parfois en araméen, à la fin d'un dîner, laissant tout le monde ébahi. Il aime cela. Pas pour impressionner les jeunes étudiants, mais pour que les sons de cette vieille langue résonnent encore. C'est sa façon de faire parler l'antique en l'homme. Elle réessaie de téléphoner. Quelqu'un finit par répondre. Allô…? C'est une voix jeune. Elle se présente, dit qu'elle appelle depuis l'Unesco à Paris. C'est à son fils Walid qu'elle parle. Il lui explique que son père est sur le site. Qu'il lui dira de la rappeler dès qu'il rentrera. Elle en profite pour demander quelle est la situation. Walid est tendu. Il répond par des phrases courtes. "Nous sommes très préoccupés. Mon père travaille beaucoup pour essayer de prendre toutes les précautions…" Elle lui exprime quelques mots d'encouragements, remercie et raccroche. Des hommes travaillent, s'agitent, réfléchissent à comment protéger des ruines tandis que le pays brûle. Des hommes se battent au milieu d'un monde qui se convulse pour que Palmyre soit transmise aux générations futures. Et le vieux Khaled arpente encore ce site qu'il connaît par cœur, en parlant en araméen aux vieilles pierres.

Zama sera donc le nom de sa victoire ou de sa défaite. Il est temps de savoir. Il donne l'ordre de lancer l'assaut et les quatre-vingts éléphants chargent, excités par leurs cornacs. Ils vont droit dans le piège que Scipion leur tend mais Hannibal ne le voit pas. Pour l'heure, il s'évertue à ce que les ordres soient bien transmis. Le choc des deux armées est brutal, comme deux ours qui se dressent l'un contre l'autre. Les Romains veulent faire oublier Cannes et Trasimène. Scipion se bat pour venger son père et tous les consuls avant lui qui ont connu la débâcle. Hannibal, lui, est sur sa terre et sait que s'il perd aujourd'hui, même les arbres saigneront. Le bruit sourd et la clameur des combattants monte dans la plaine. Tout Carthage suspend son souffle. À cinq heures de marche de Zama, la ville entière attend de savoir si elle va être pillée ou si elle éclipsera l'Empire romain. Hannibal ne voit pas que les éléphants s'enfoncent dans les lignes. Ou peut-être est-ce qu'il le voit et s'en réjouit? Il ne voit pas qu'ils s'enfoncent trop facilement. Les vélites romains reculent, laissent les mastodontes avancer. Scipion sourit. Tout se passe comme il l'espérait. Il va battre Hannibal en lui rejouant la bataille de Cannes. Il a pris soin de laisser des espaces entre les différentes unités de sa légion. Les éléphants s'y engouffrent. Et bientôt il se passe à Zama ce qu'il s'était passé à Gaugamélès : Hannibal blêmit comme avait blêmi Darius. Tous les deux, à un siècle de distance, voient que les éléphants s'énervent et paniquent. Le bruit des clairons, la foule qui les entoure et les pousse sur le flanc les affole. Ils sont en furie, se tournent, donnent des coups de défense au hasard, reviennent sur leurs pas, chargent leur propre ligne sans s'en rendre compte. Ils ne peuvent plus revenir en arrière, ils ont été trop loin dans les lignes adverses. Alors les légions se referment sur eux et à Zama, comme à Gaugamélès un siècle plus tôt, les grands éléphants de guerre deviennent des bêtes inutiles au flanc large dont les barrissements sont, d'un coup, l'exact chant du désastre.

"Il n'est pas question que je bouge."

Elle essaie de le convaincre encore. Elle lui parle du risque qu'il court. De la violence de ces hommes qui ont la mort dans les doigts. Elle dit qu'il sera plus utile à l'abri, que l'Unesco a besoin de ses connaissances sur le site. Elle dit que tout peut être organisé pour le faire venir en Europe. Elle s'en occupera personnellement, mais Khaled al-Assaad répète :

"Je ne bougerai pas."

Il y a un long temps de silence.

Elle essaie encore, avec une voix douce, comme une fille essaierait de convaincre son père :

"S'il vous plaît, monsieur Assaad… je vous en prie."

Il ne dit toujours rien. Peut-être essaie-t-il à cet instant de mesurer ce que son choix va avoir comme conséquence pour lui et pour les siens? Peut-être entrevoit-il l'avenir? Lorsqu'il se remet à parler, c'est avec une voix plus douce lui aussi. Il lui demande de ne pas lui en vouloir. "Je suis un vieil homme, dit-il. Ma vie est terminée. Si je pars, tout aura été vain. Je ne peux pas, vous comprenez? J'ai pris des précautions. Avec mon fils Walid nous essayons de mettre à l'abri le plus de pièces possible. Je veillerai sur le site aussi longtemps que je vivrai. Imaginer Priam quittant Troie avant l'arrivée des Achéens, ce n'est pas possible…"

La conversation s'achève. Elle sait qu'elle ne parviendra pas à le convaincre. Il va rester, avec son fils, comme les gardiens d'un temple vide qui attendent la mort. Il va rester parce que partir n'importe où ailleurs serait une défaite. Est-ce que son âge le protège de la peur? Est-ce parce que sa vie est presque achevée que les événements ne peuvent plus l'entamer? Elle raccroche en lui demandant de lui donner des nouvelles, de ne pas hésiter s'il a besoin de quoi que ce soit. Il dit oui, bien sûr, remercie. Elle sait qu'il n'en fera rien. Le vieux Priam a fermé la porte de la cité d'Ilion et attend l'arrivée des barbares. Il est condamné à voir le monde s'écrouler, là, depuis le point qui est le sien : Tadmor, la perle du désert, la cité de la reine Zénobie qui a pour seul gardien un vieil homme de quatre-vingt-trois ans qui va et vient au milieu des colonnes et des ruines, veillant sur les tours funéraires et confiant sa peur au vent du soir.

À Zama comme à Cannes, la première ligne tient. Elle recule doucement, laissant l'ennemi s'engouffrer, et Scipion n'a plus qu'à faire ce que fit Hannibal lui-même, comme une sorte d'hommage au maître, un vaste mouvement tournant qui prend au piège les Carthaginois. Le commandant romain baisse le bras. C'est l'ordre qu'attendaient Massinissa et sa cavalerie numide pour charger. Ils piquent le flanc de leurs bêtes pour faire hurler l'ennemi. Massinissa sait qu'il a gagné, qu'il régnera désormais sur la Numidie, de Siga à Cirta, que Syphax, son rival, va être balayé. Il sait qu'il vient de gagner son pari et qu'il a eu raison de changer d'alliance, trahissant Carthage qui ne sera bientôt plus rien. La cavalerie des Massyles charge et Hannibal sait qu'il n'a plus qu'à quitter Zama. Il s'en va, comme s'en est allé Darius, laissant les hommes finir de mourir derrière lui. Certains se battront peut-être encore courageusement. Dans l'anonymat de la mêlée, il est encore sûrement des guerriers qui lutteront avec rage et repousseront l'ennemi mais cela ne sert plus à rien. Cela prendra du temps, quelques heures ou davantage, le temps que les forces des combattants s'épuisent, le temps que chacun voie que la défaite est certaine, le temps que leurs corps tremblent de fatigue et que les plus vaillants se résolvent à mettre un genou à terre et à se laisser trancher la gorge.

"Brûlez tout ! Brûlez tout…!" D'abord les soldats hésitent. Ils se regardent les uns les autres comme pour voir qui est prêt à obéir, mais Sheridan exulte. Il montre la ferme devant laquelle ils viennent de s'arrêter, dans cette vallée de Shenandoah, et il hurle :

"Brûlez!" Alors ils se décident, finissent par le faire, un peu honteux. Ils s'habitueront vite et bientôt n'y penseront même plus. Toutes les fermes qu'ils trouveront sur leur route connaîtront le même sort et ils le feront sans même s'en apercevoir. "The Burning." C'est cela que Grant a demandé à Sheridan : la guerre totale, qui fait pleurer les villages. Bientôt ils n'auront plus ce geste un peu gauche d'hésitation, bientôt ils ne descendront même plus de leurs chevaux. Ils n'hésiteront pas non plus à tirer dans le ventre des fermiers qui ont saisi une fourche pour protéger leur récolte, ou à passer par le fil de la lame les femmes qui essaieront de s'interposer. Bientôt ils brûleront tout, systématiquement. Pendant des mois. Et Sheridan n'aura plus à le dire, à le hurler en se dressant sur ses étriers : "Brûlez tout!", ils auront appris à le faire. Grant pense souvent qu'il aura à demander pardon pour ces ordres donnés car il sait quelle réalité se cache derrière ce qu'il exige. Et quand il ordonne "the Burning", il voit, lui, les fermes brûlées et les enfants en pleurs. Alors il s'adresse à Julia en son esprit, lorsqu'il boit sans trouver le sommeil, pardonne-moi, Julia, car j'ai ordonné de tuer, pardonne-moi, Julia, des femmes et des enfants ont été piétinés, il voudrait le dire, le hurler : ce qu'il exige de ses hommes est folie. "Lorsque j'en aurai terminé, lui écrit Sheridan, la vallée sera impropre à la vie des hommes et des bêtes", et c'est ce qu'il fait : le bétail est éventré ou, pour aller plus vite, brûlé vif dans les étables, avec les fermiers parfois, pardonne-moi, Julia, et ne me regarde plus jamais avec amour. La victoire approche et la guerre devient plus sale, plus pénétrante. Cela fait longtemps que les hommes n'ont plus de rêve

de noblesse, ils savent que la guerre se fait en grimaçant et qu'ils se sont perdus. C'est cela qu'on leur a
demandé : accepter de se dire adieu et aller au plus
ignoble. Ils le font. Sheridan écrit à Grant que la vallée de Shenandoah n'est plus que cendres et Grant,
en le lisant, n'éprouve aucun dégoût, il n'a pas le
droit. C'est lui qui a exigé cela de ses hommes. S'il
doit ressentir le dégoût, qu'il le ressente pour lui-
même et c'est ce qu'il fait, mais qui peut l'entendre ?
Julia continue à l'aimer, alors que lui est hanté par
les cris de Sheridan. "Brûlez… ! Brûlez tout… !", et
il n'a pas le droit de trouver cela répugnant car c'est
lui qui l'exige alors il y répond en ordonnant qu'on
tire une salve de mille coups de fusil contre Petersburgh en l'honneur de ceux qui ont fait saigner la
terre de Shenandoah, "Brûlez… Brûlez", et lorsqu'il
referme son courrier et relève la tête, il sait qu'une
nouvelle façon de faire la guerre est née.

Vaincu. Il contemple la mer depuis les terrasses
de Carthage, le port rond à ses pieds, avec tous les
navires de guerre – et plus loin, la Méditerranée,
cette mer qu'il n'a jamais réussi à maîtriser. Vaincu.
Il se répète le mot, n'y croit pas encore tout à fait,
mais il a vu partir le bateau de la paix que les Carthaginois ont envoyé à Scipion, le bateau couvert
de rameaux d'olivier et de bandelettes blanches qui
s'est éloigné lentement, majestueusement du port,
faisant cap vers l'ouest. Il a vu les visages des Carthaginois dans la rue, qui savent désormais qu'ils
sont à la merci des vainqueurs. Est-ce que tout est
réellement terminé ? Il avait toujours pensé que s'il
devait perdre face aux Romains, ce serait au prix de

sa vie, comme ses frères Magon et Hasdrubal. Mais il est là, vivant, en ce jour où Carthage doit baisser la tête. Le traité de paix a été signé. Tout est scellé. Carthage a livré ses éléphants de guerre. Carthage a accepté que sa flotte soit réduite à dix navires. Carthage a envoyé cent otages à Rome, des fils des hautes familles qui seront exécutés si elle trahit ses engagements. Carthage accepte de payer les indemnités du vaincu, l'impôt de la guerre pour que Rome soit prospère à nouveau. Rome régnera sur toute cette rive de la Méditerranée. Il entend, de la terrasse où il est, le chef de la flotte punique qui lance son ordre : "Brûlez!", et alors, d'un coup, tous les navires de guerre, au large du port, sont mis à feu. D'abord, cela ne se voit pas. On s'attend presque à ce qu'il soit obligé de répéter son ordre : "Brûlez!", mais ce n'est pas nécessaire, les soldats ont obéi, sous l'œil joyeux des ambassadeurs romains qui raconteront la scène avec force détails. Il l'entend, cette voix, "Brûlez!", la fumée monte des cales d'abord, puis les premières flammes apparaissent, "Brûlez!", c'est comme si toute la Méditerranée prenait feu, là, sous ses yeux, et les souvenirs de victoire aussi, Cannes, Trasimène, qui n'ont servi à rien, brûlez les Barcides qui n'auront jamais réussi à faire plier l'Empire, brûlez Capoue la maudite qui a ouvert ses portes, et Massinissa le traître avec toute sa cavalerie numide, brûlez la joie, ils ne la connaîtront plus, brûlez le soleil aussi, à partir de demain il n'y a plus de liberté, ce sont les voiles des quatre-vingts navires de guerre qui s'enflamment maintenant, le vent leur apporte l'odeur du feu et c'est comme s'il avait la cendre dans la bouche, brûlez, Rome a gagné et nos éléphants sont morts, un peuple entier de soldats regarde l'incendie de la flotte, en silence, venu de tous les lieux où il sont tombés, les campagnes ibériques, la traversée des Alpes, la guérilla dans les monts de Calabre, les morts au combat ou ceux qui se sont asséchés sur les routes, brûlez, vous êtes l'armée des vaincus et vous irez désormais tête basse, brûlez, les vaisseaux craquent, se délitent, et coulent au large, lentement, avec douceur presque.

XI

LA CYRÉNAÏQUE

Omar al-Dhour a vieilli en quelques années. Le visage s'est creusé, le regard s'est éteint. Une fatigue profonde pèse sur ses gestes, sur son sourire même. Assem repense à leur première rencontre. C'était au moment des prises de contact qui avaient précédé l'attaque franco-britannique de 2011. Ils ont lutté côte à côte lors de la bataille de Benghazi. Omar coordonnait le redéploiement des hommes chargés de la défense de la ville, tandis que lui renseignait les chasseurs français sur les frappes au sol. Comme tout cela paraît loin... La joie de la chute de Kadhafi est vite passée et a fait place à des luttes violentes pour le contrôle des zones de pétrole. L'État islamique est apparu. Le pays s'est désagrégé et a sombré dans la guerre civile. La fatigue se lit sur le visage de son ami comme elle se lit dans les rues de Benghazi. Il n'y a plus d'allégresse. Pourquoi n'y a-t-il jamais de victoire ? Jamais de moments de joie pleins auxquels ne succède rien d'autre qu'une vie de paix à laquelle on puisse s'adonner avec douceur ? Omar ne lui demande rien. Il ne pose aucune question sur les raisons de sa venue. Il a bien dû sentir qu'il ne s'agissait pas d'une mission officielle. Il emmène Assem sur le toit, à l'endroit où, du temps de la défense de Benghazi, ils avaient pris l'habitude d'observer la ville et l'avancée des combats, et il lui tend une cigarette. Le silence. C'est de cela qu'ils ont besoin. Plus aucun mot ne peut les aider. Puis Omar lui dit que demain, à 17 heures, un homme en qui il a toute confiance l'emmènera à Syrte et même jusqu'à Tripoli s'il le peut, le plus loin possible sur la route de la côte.

À quel moment a-t-il cessé d'être l'homme du discours de la Société des Nations? La cour l'entoure avec obséquiosité. La cour lui sourit et bruisse chaque jour de mille petits complots dérisoires. On vient lui révéler des bassesses, des ambitions, on vient le mettre en garde contre certains, on essaie d'en promouvoir d'autres. Il écoute sans ciller. Il ne laisse jamais rien transparaître. À quel moment a-t-il cessé d'être l'homme courageux de Genève qui faisait face au monde entier pour devenir ce qu'il est aujourd'hui : une triste incarnation des privilèges? Il est roi des rois, descendant de la reine de Saba. Il n'a pas à être aimé, pense-t-il, pas à plaire. Il est, c'est tout. Et les hommes, le matin, qui se pressent à l'audition des délations, les hommes qui conspirent, chuchotent, marchent à pas feutrés, ne demandent rien d'autre. Alors à quel moment le peuple, lui, a-t-il commencé à penser autrement? Ce ne sont pas les vingt-sept Rolls Royce qu'il possède, le luxe, la démesure, ce ne sont pas les panthères en cage, les pierres précieuses, c'est la faim. Les famines rongent le pays et il ne le voit pas, ou pense que cela passera. Le peuple crève debout et personne ne semble considérer qu'il y a urgence à le sauver.

À quel moment ont-ils commencé à vaincre? Le capitaine le salue avec fierté en ordonnant à son cheval, par une légère pression des cuisses à peine perceptible, de se mettre à l'arrêt : "Les voilà, mon général…" Il est fier de sa prise, cela se voit. Il sourit et ne peut s'empêcher d'ajouter : "On en trouve partout sur les routes… Lee ne tient plus ses hommes…" Et son cheval s'écarte pour laisser passer la colonne de fuyards et de déserteurs. Ce ne sont plus des hommes. Ils avancent d'un pas lent, le corps rachitique, ne pesant plus que la moitié de leur poids, les yeux hagards. Grant repense alors aux corps dans les tranchées de Petersburgh, lorsque la ville a fini par céder après neuf mois de siège. Il y avait des gamins de treize ans, pieds nus, qui gisaient là, dans la boue… Honte aux confédérés qui les avaient armés et honte à eux qui les avaient tués. Ce ne sont plus des hommes. Ni ceux qui titubent devant lui, qui n'ont rien mangé depuis des jours – que des pousses d'herbe et des racines –, ni lui, là, qui se tient droit, ému par tant de misère alors que c'est lui qui a décidé d'axer la guerre sur le ravitaillement pour affamer les soldats. Il voit le jeune capitaine qui sourit à ses côtés, heureux de la prise du jour, qui ne trouve pas révoltant qu'un homme ait pu devenir un sac d'os aux gencives qui saignent. "War is hell", dit son ami Sherman. Il faut châtier les civils et couper l'ennemi de ses bases. "Je peux faire hurler de douleur la Géorgie", lui a-t-il écrit, et il l'a fait, détruisant tout sur son passage. Les voilà, devant ses yeux, les vaincus aux corps creusés, aux lèvres blanches, hallucinant de faim. Faut-il se réjouir? Oui, car ils sont le signe de la victoire. L'armée de Lee fond à vue d'œil. Ils ne doivent même plus être trente mille et ils sont tous affamés. "La guerre est cruelle." Il repense toujours à Sherman parce qu'il n'y a que lui qui soit lucide et dise les choses avec la brutalité qu'elles contiennent. "Plus elle sera cruelle, plus vite elle sera terminée." Les villages brûlent. Les hommes meurent de faim le long de la route. Rien n'empêche Sherman d'avancer. Il traverse la boue, les forêts. Il saccage tout et le Sud hurle de douleur. Faut-il se réjouir ? Grant songe à cet instant que la victoire est une épreuve. Il laisse les confédérés en haillons passer et il lui semble que c'est lui qui est humilié, pire, il sent que cette humiliation ne le quittera plus, qu'il va devoir apprendre à la porter en lui, même lorsque les cris de victoire retentiront – car ils retentiront –, même là, elle sera en lui, sourde, pénétrante, il ne pourra pas la fuir, et jusqu'à sa mort il y aura cela en partage entre lui et les troupes ennemies : cet instant-là, tête basse, où l'homme est allé si loin qu'il n'en était plus un.

Longtemps, il se souviendra de ces moments – sans plus savoir avec exactitude s'il les a vécus ou s'il s'agit d'un long rêve habité du bruit de la mer et des tirs d'armes automatiques au loin. Longtemps, il se souviendra de cette longue route qui le mena de Benghazi à Tripoli en deux jours de voiture et de poussière, dans ce pays exsangue qui sent la peur et le pétrole. Il a roulé des heures, essayant d'éviter les carrefours, les check-points, des heures à laisser le paysage défiler, le visage collé contre la vitre, retrouvant ce pays qu'il a connu quelques années plus tôt. Il se souvient des cris de la foule à l'époque du soulèvement, des groupes de jeunes gens, prêts à tout, avec parfois un fusil pour quatre ou cinq, se jurant de ne pas céder un pas face à l'avancée des troupes restées fidèles à Kadhafi. Aujourd'hui, les rues des villes côtières sont vides et il n'y a plus de liesse. Les jeunes gens montent le matin dans des pick-up et partent terroriser les villages à l'ouest. Le pays se disloque. C'est juste que tout finisse à Tripoli, car tout va finir, il n'a pas de doute là-dessus. Il n'y aura pas de troisième entrevue. Job le convoque une dernière fois, puis ce sera la fin.

Pourquoi repense-t-elle sans cesse à lui ? À cet homme qu'elle ne reverra probablement jamais, à cet homme avec qui elle n'a partagé qu'une nuit ? Pourquoi son esprit revient-il sans cesse à Zurich ? Son odeur, le grain de sa peau, elle l'a encore en elle. Elle s'en souvient. Et elle pourrait jurer – elle en a la profonde conviction – que, où qu'il soit, il se souvient d'elle également. Peut-être au fond est-ce pour cela qu'elle s'est levée et a abandonné l'homme de l'hôtel Pulman. Pas parce qu'elle voulait fuir sa tristesse pathétique, comme elle l'a cru elle-même, pas parce que tout cela lui pesait, non, mais parce qu'elle ne voulait pas, après Zurich, tomber dans une nuit pénible où les corps se seraient serrés sans conviction, où la jouissance aurait été prise plus que donnée. Où est-il, lui, à cet instant ? Dans quel coin du monde qui brûle ?

Le voyage est long. Et c'est bien. Il a besoin de ce temps-là. Il n'a pas été possible de s'arrêter à Leptis Magna comme il aurait aimé le faire : revoir les grands vestiges romains qui font face à la mer, sûrs de leur éternité, défiant l'agitation des hommes. Il aurait aimé, parce qu'il sent que cela a à voir avec Job. Il refait la route Syrte-Misrata, cette route sur laquelle il a connu sa ligne d'ombre. Est-ce bien de cela qu'il s'agit ? Ce que Job a ressenti dans l'hélicoptère qui le ramenait d'Abbottabad, avec le corps de Ben Laden à ses pieds dans une bâche en plastique, ce décollement du monde, ce sentiment que plus rien ne le concernera après cela, est-ce cela qu'il a ressenti lui aussi, sur cette route, trois ans plus tôt, dans cette foule qui voulait lyncher le dictateur ?

Va, Hannibal, la nuit te protège et les Romains ne te trouveront pas, va, les chevaux s'épuisent sous tes jambes, les uns après les autres, écume blanche, souffle court, mais tous les relais sont sûrs et il s'en trouve toujours un pour galoper à nouveau et t'emmener loin de Carthage.

Tout aurait pu continuer. Une vie de règne. Dans le faste immémorial des descendants de la tribu de Juda. Tout aurait pu continuer pendant des siècles. Mais les officiels qui l'accueillent sur le tarmac de cet aéroport du Brésil ont un air étrange et des visages sinistres. Son avion vient de se poser pour un voyage d'État. Il a survolé une partie de la planète, insouciant, pensant aux discours qu'il allait devoir prononcer, et maintenant l'ambassadeur venu l'accueillir se présente à lui avec une voix chevrotante : "Votre Excellence…" Il ne sait pas comment dire ce qu'il a à annoncer. Il n'arrive toujours pas à réaliser qu'il doit prévenir son empereur qu'un coup d'État vient d'avoir lieu au pays. Le Négus se fige. Il demande à ce qu'on répète, veut qu'on lui fasse part de toutes les informations qu'on détient. L'ambassadeur explique alors ce qu'il sait : les deux frères Menghistu et Germame, qu'il considérait comme des fils, ont pris le pouvoir. Ils sont même entrés dans le palais. Hailé Sélassié n'hésite pas. Il repart immédiatement.

Va, Hannibal. Cela fait dix ans que Rome a vaincu, dix ans que Carthage baisse la tête et paie son dû à l'Empire. Et malgré les conditions imposées par le sénat romain, Carthage se porte bien. Lorsqu'elle propose de rembourser ce qu'elle doit à Rome avec quarante ans d'avance, le sénat frémit. Il n'avait pas vu que le vaincu était si prospère. Carthage vit, n'est pas moribonde. Hannibal est encore là. Qui peut dire qu'il n'aura pas un jour la capacité de repartir en campagne ? Le sénat dort de moins en moins bien. Et cela l'énerve. Il a vaincu… Comment se fait-il qu'il ne dorme pas du sommeil du juste ? Comment se fait-il qu'il ait peur ? Est-ce qu'Hannibal se contentera de gérer au fil des ans la médiocrité dorée de sa ville sous le joug romain ? Qui peut le croire ? Les sénateurs le savent, le sentent depuis longtemps : rien n'est fini tant qu'Hannibal vit. Ils ont eu tort d'accepter la requête de Scipion qui a intercédé pour qu'on laisse le Barcide libre dans sa ville. Il voulait faire le noble, le grand, mais maintenant les sénateurs tremblent. Il faut que le Barcide meure. Carthage est trop riche. Il faut qu'il meure car sa vie seule suffit à les menacer. Elle suffit à donner du cœur à ceux qui détestent Rome et attendent leur heure. Alors ils décident de sa mort et Hannibal le sait. En une nuit, il quitte tout. Il ne reverra plus Carthage. Il ne reviendra plus jamais sur le sol d'Afrique. Va, Hannibal, de relais en relais, en cette nuit où tu échappes au couteau, tu files jusqu'à un navire que l'on a préparé pour toi, et tu quittes la côte au plus vite. Tout recommence, Hannibal. Tu es seul sur cette barque qui t'emmène à Cercina mais tu fais trembler Rome. Car avec toi est montée l'armée des morts qui veulent leur revanche, avec toi est monté le choc à venir des empires, va, Hannibal, dans cette nuit de fuite tu nais à toi-même, opposant, recours sans cesse possible à la suprématie de Rome. Tout recommence. Après la défaite de Zama, après les dix ans de silence à payer les dettes dues au vainqueur, tout recommence, tu sais te battre et tu files vers l'Orient où tu trouveras des alliés. Les Séleucides t'attendent. Ils veulent vaincre l'Empire romain et tu suffis, toi, par ton nom, par le sang que tu as fait couler, à le faire trembler.

Le vol du retour est long, infiniment long. Il est sans nouvelles de ce qui se passe chez lui. Il ne sait pas que pour rassurer le peuple ses partisans ont ordonné de faire tourner dans les rues d'Addis Abeba une de ses voitures officielles et que, partout où elle passe, les femmes ululent pour saluer la présence du roi des rois. Il ne sait pas que les deux révolutionnaires ont pris possession de son palais et détiennent dix-huit otages. Il sent qu'il faut qu'il arrive au plus vite, que c'est une question d'heures, que sa présence dans la ville est nécessaire, mais l'avion ne peut pas aller plus vite. Et le second appareil qui doit l'emmener dans la capitale a une hélice rompue. Il passe outre et fait le voyage penché dans le ciel, comme son trône qui est en train de vaciller. Désormais il sait qu'il ne connaîtra plus de joie paisible, de pouvoir plein. Désormais, c'est la solitude et le soupçon.

La joie éclate partout. Custer lève son chapeau avec un sourire de triomphe. Les hommes l'acclament. Il rayonne de fierté. Grant attend qu'on lui annonce la nouvelle. Il n'aime pas Custer, ne l'a jamais aimé. Il l'a toujours trouvé trop prétentieux et inutilement cruel. Comme c'est étrange, du reste : il y a parmi les officiers confédérés des hommes qu'il estime infiniment plus que certains de son propre camp... Finalement, la nouvelle lui parvient enfin : Custer et ses hommes ont saisi un train de ravitaillement et vingt-cinq canons. L'étau se resserre. La colonne de Lee est asphyxiée. Grant serre la main de Custer. C'est une bonne nouvelle et cela aussi est étrange : des hommes vont crever de faim et c'est une bonne nouvelle. Ceux qui n'avaient déjà plus rien à manger depuis des jours, ceux qui sont hagards, qui désertent, titubent dans les champs, ceux qui sont devenus des ombres décharnées mais marchent toujours vers l'ouest pour essayer d'échapper aux armées de Grant et de Sherman, ceux-là auront encore moins. Des hommes vont mourir de faim et Custer lève les bras en signe de victoire. Grant le déteste de faire cela, mais pourquoi ne le ferait-il pas ? Pourquoi devrait-il être triste dans la victoire ? Est-ce que ce n'est pas ce qu'ils espèrent depuis des mois, des années ? La fin approche. Ce coup-là est peut-être le dernier. Hier, il a écrit une lettre au chef sudiste pour lui demander sa reddition. Lee n'a pas répondu. Il sait maintenant qu'il va en écrire une seconde. Ce que vivent les trente mille derniers hommes de la colonne confédérée est un cauchemar. Après le siège de Petersburgh, après les grands assauts meurtriers, la guerre a pris le visage d'une course poursuite. Les confédérés de l'armée de Virginie fuient, n'ont plus rien. Ils ne mangent pas, n'ont plus de munitions. Ils sont exsangues. La guerre a pris ce visage-là, le plus laid de tous : une lente agonie. Cela ne fait plus aucun doute : Lee a perdu et Grant voudrait qu'il y ait du silence, un profond silence pour qu'il puisse retourner dans sa tente et écrire une nouvelle lettre, mais les hommes crient, lancent leur casquette en l'air, chantent et se jurent d'aller fêter cela dans un des cinquante bordels de Washington…

"Votre Excellence…" Il attend des nouvelles mais reste impassible. "Les rebelles ont assassiné les otages." Il reste droit, ne pose aucune question. Il est en train d'imaginer les tapis du palais baignés de sang, les corps qui gémissent, finissent de se vider, l'odeur écœurante de la poudre et des viscères. Il sait qu'il va châtier les rebelles, qu'il sera sans pitié, et c'est ce qu'il fait. Lorsque les soldats les retrouvent, ils criblent Germane de balles. Menghistu, lui, est blessé à l'œil mais vit encore. On le traîne comme une dépouille d'animal. Hailé Sélassié a demandé à le voir. Juste pour le dévisager calmement. Il le regarde avec mépris et ordonne qu'on le pende sur la place du Mercato. Puis qu'on expose les dépouilles des comploteurs sur la place Ménélik, en face de la cathédrale Saint-Georges où il fut lui-même couronné. Les mouches se poseront sur l'arcade sourcilière défoncée de Menghistu, sur le trou béant de sang séché ou sur sa langue pendante. Les gamins montreront du doigt ces drôles de corps raides, tordus, qui faisaient quelques jours plus tôt trembler toute la ville. Tout le monde verra que l'empereur est revenu et qu'il est fort. Le peuple saura que les corps qui s'opposent à lui finissent désarticulés, sanguinolents et misérables. À partir de maintenant, il le sait, tout est méfiance et chuchotements. Où est la victoire dans cette vie de lutte et de coups d'État ? Quand a-t-il été victorieux ? Lorsqu'il marchait dans les rues d'Addis Abeba, à son retour, avec à ses côtés Wingate et derrière eux les membres de la force Gédéon ? Ce jour où il avait trop chaud, où il avait eu hâte d'être en son palais pour pouvoir souffler ? Était-ce le moment le plus haut de sa vie, celui qu'il aurait dû faire durer ? Ou était-ce avant ? Lors de son couronnement ? Quand il pouvait encore penser qu'il serait roi des rois pour une vie entière ? Maintenant, il n'est plus question de cela. La guerre est loin mais la menace dorénavant sera partout. En regardant les mouches sur les yeux morts de Menghistu, il sait que désormais, tout sera solitude et calculs sournois.

Il a vieilli, bien sûr. Quarante ans de guerre sont passés. Quarante années où il n'a été rien d'autre qu'un guerrier. Une vie de campements, de champs de bataille, de levers au petit matin et de longues colonnes de chevaux. Il n'a connu que cela. Il n'a jamais joui de sa femme, de ses enfants, de son pays, des plaisirs de la vie, ou si peu. Il a consacré son existence entière à lutter contre Rome. Et aujourd'hui à nouveau. C'est un homme âgé maintenant, mais les soldats autour de lui le regardent toujours avec la même admiration. Hannibal. Il est devenu ce nom magique, ce nom de guerre capable de renverser des empires. Est-ce que tout peut encore s'inverser? Il le croit. Lorsqu'il est arrivé à Tyr, Antiochus l'a reçu avec les honneurs. Tout peut basculer si la bataille est gagnée. La Grèce n'est pas morte. Elle joue sa dernière carte. Elle est venue chercher Hannibal parce qu'il est l'homme le plus redouté par Rome, celui qui peut tout faire chavirer. Un homme de guerre et d'expérience. Les Romains savent que ce qui est en train de naître à l'Orient est une menace. Ils savent qu'il faut étouffer au plus vite ce front oriental. Aujourd'hui, les deux flottes se font face et tout va se décider. Hannibal regarde les navires se déployer. À quoi pense-t-il à cet instant? Qu'il n'a jamais aimé la mer? Que Rome a toujours pu compter sur sa flotte? Que tout va trembler à nouveau et que, malgré son âge, il va redevenir un chef de guerre et cesser de n'être qu'un opposant? À quoi pense-t-il? Peut-être au fond de lui sent-il qu'il ne gagnera pas… L'Histoire ne donne pas de seconde chance. Il a soixante ans maintenant et sa guerre a été perdue lorsque les portes de Capoue se sont ouvertes, ou lorsque les éléphants de Zama ont avancé trop loin dans les lignes romaines. Et si aujourd'hui, au fond, ne comptait pas? Et si les morts qui allaient tomber aujourd'hui ne servaient à rien?

Elle tourne les pages d'un journal, dans ce petit restaurant où elle est venue manger seule. L'actualité est accablante. Le monde frémit encore de l'attentat du Bardo en Tunisie. De nombreux chefs d'État se sont déplacés. "Ktema eis aei." Elle repense à cette expression qu'avait utilisée Thucydide pour définir la démarche de l'historien. C'est son professeur, M. Ahmed al-Khoury, qui leur avait inculqué cela, à Damas, lorsqu'elle avait suivi une année à l'université syrienne. Constituer un "acquis pour toujours". En décrivant les guerres du Péloponnèse, Thucydide espérait offrir cela à l'humanité : un savoir définitif. Les siècles ont passé. Les historiens ont écrit, encore et encore, sur chaque massacre, chaque génocide, chaque convulsion de l'Histoire. "Plus jamais cela." Chaque génération a prononcé cette phrase. Est-ce que l'Histoire ne sert à rien ? Ils lui avaient posé la question, elle s'en souvient très bien, et le vieux professeur Al-Khoury avait plissé les yeux avec malice au-dessus de ses lunettes, retrouvant pour un temps sa gourmandise libanaise. "Je comprends votre déception…" avait-il dit aux jeunes étudiants dont elle était. "Mais ne balayez pas trop vite Thucydide. Pensez à l'amour…", et dans les gradins de l'amphithéâtre, les jeunes gens, surpris, s'étaient faits plus attentifs. "À l'instant où vous proclamez votre amour, c'est pour toujours, n'est-ce pas ? Peu importent les risques que vous ne vous aimiez plus, peu importent les mères, les tantes, les grands-mères qui vous parlent de l'infidélité des hommes et de l'usure du temps, à l'instant où vous aimez, c'est pour toujours et cela est vrai. Disons alors simplement que les historiens sont des amoureux…" Et l'amphithéâtre avait souri, bien sûr, et le professeur avait savouré son effet avant de replonger avec sérieux dans l'étude de l'*Histoire de la guerre du Péloponnèse*. Elle s'est battue toute sa vie, rassemblant des objets, cherchant à reconstituer un patrimoine. Elle a toujours vu dans les musées des sanctuaires donnés aux générations à venir, recelant les vestiges que les hommes avaient recueillis pour toujours, à l'abri du néant. Mais le sont-ils vraiment? Elle ne sait plus. Elle repense à la malice du vieux professeur Al-Khoury. L'amour. Et c'est son visage à lui qui se présente à ses yeux : Assem. Elle sait qu'elle ne le reverra peut-être jamais, mais elle sent au plus profond d'elle-même que la nuit de Zurich est acquise pour toujours...

Très vite, la bataille tourne en leur défaveur. Maudits bateaux... Jamais il ne parviendra à vaincre Rome sur la mer. Les navires de l'Empire utilisent des brûlots. Ils enflamment les voiles de la flotte d'Antiochus. Les incendies éclatent partout. La mer se met à scintiller. Hannibal serre les dents. Rome va gagner. Les images se superposent. Il voit la flotte punique brûler dans le port de Carthage et les navires d'Antiochus qui se déchirent et se démembrent. Il va perdre à nouveau. Et la seule question qui se posera ce soir, lorsqu'ils se seront repliés à Tyr, c'est de savoir si Antiochus le livrera aux Romains ou pas. Car ils le demanderont, cela ne fait pas de doute. Est-ce que son allié le livrera au nom d'un accord qu'il aura négocié, d'une paix arrachée? C'est la seule question qu'il emporte avec lui, lorsque les navires font demi-tour, laissant brûler ceux qui ont été touchés et hurler les hommes à la mer qui supplient qu'on vienne les chercher, puis s'épuisent et sombrent.

Il a roulé de nuit entre Misrata et Tripoli, couché à l'arrière de la voiture pour ne pas se faire voir. Arrivée au centre de Tripoli, la voiture le laisse à un coin de rue. Il remercie son chauffeur et s'enfonce dans la ville. Il est seul maintenant et marche vite. Personne ne semble faire attention à lui. Si on lui demande quoi que ce soit, il se fera passer pour un homme d'affaires tunisien ou un banquier. Il ne s'arrête pas devant la façade de l'ancien hôtel Radisson, il n'a pas besoin de reprendre son souffle ou d'évaluer le danger. Il a hâte. Alors il se presse. Il pénètre dans le grand salon de l'hôtel où des fauteuils semblent attendre, fatigués, des gens qui ne viendront plus. Les rideaux des fenêtres ont été tirés, pour éviter les tirs de l'extérieur, sûrement… Ses yeux mettent un peu de temps à s'habituer à la pénombre. Un homme est là, derrière un comptoir qui a dû être celui de la réception au temps où le bâtiment était encore en fonction, mais il est plongé dans la lecture d'un journal et ne lève même pas les yeux. Il avance. À sa droite, quatre hommes discutent à voix basse autour d'une table. Des hommes d'affaires. Un cinquième est resté debout, à deux pas d'écart, arme automatique en bandoulière. Il tourne à gauche, vers l'autre salon, et là il le voit, le reconnaît tout de suite, seul, enfoncé dans un fauteuil, les yeux essayant de percer la pénombre, souriant peut-être ou grimaçant, et la voix qui l'accueille, dès qu'il apparaît, est la même exactement que celle de Beyrouth, comme si c'était la même nuit qui se prolongeait : "Je suis content que vous m'ayez retrouvé, lieutenant…", et Assem doit bien admettre qu'il est content, lui aussi, et cela le trouble car de quoi peut-il se réjouir à cet instant ?

XII

LIBYSSA

Depuis le lever du jour, Grant a la migraine. S'il s'y autorisait, il boirait une bouteille entière, jusqu'à s'effondrer sur un lit de camp et oublier cette journée. Mais il ne peut pas. Il ne sort pas de sa tente. La lumière lui fait mal aux yeux. Et pourtant, on l'appelle. La voix est pressante. "La réponse du général Lee, mon général…" Alors il bondit. Un homme est là qui lui tend un pli. Tous les officiers de son état-major se pressent autour de l'émissaire et attendent de connaître la réponse. Il prend l'enveloppe. Le temps se suspend. Tout est lent. Il n'a pas encore ouvert la lettre. Il se demande s'il va avoir la force de le faire. Les officiers autour de lui le regardent. Quatre années de conflit pèsent sur lui. Des morts de partout tendent leur cou pour lire au-dessus de son épaule. Et puis il l'ouvre finalement, et trouve encore la force de lire sans que sa vue se brouille : Lee se rend. Cela tient en peu de mots. Tout est fini. Il relève la tête, reste impassible, tend l'enveloppe à ceux qui voudraient la lire. On la lui prend – il ne saurait dire qui exactement. Il ne dit rien. Autour de lui, les hommes commencent à pleurer. Pas à chanter, pas à hurler de joie : à pleurer sur leur propre victoire.

Antiochus ne l'a pas trahi mais Hannibal a dû fuir. La vie désormais ressemblera à cela : une fuite. Il a quitté Tyr pour la Crète, puis la Crète pour le royaume de Prusias. Chaque fois, sa vie est entre les mains de son hôte. Chaque fois, le souverain qui l'accueille doit faire face au mécontentement de Rome. Et il sait qu'il sera vendu un jour, ou troqué contre un accord de paix. Il sera offert en gage de bonne volonté ou cédé comme dernier argument dans une longue négociation. Qu'y peut-il ? Il est en fuite, d'un pays à l'autre, sur la côte orientale de la Méditerranée, et sa vie jusqu'à la fin ne sera plus que cela.

Un nouveau coup d'État vient d'éclater. Est-ce que ce sont les mêmes ? Menghistu et Germame sont-ils revenus d'entre les morts pour le harceler à nouveau ? Non… On lui parle d'autre chose aujourd'hui. Il ne s'agirait pas d'un homme mais d'une sorte de société secrète : le Derg. Il se sent las. Des années ont passé… Dans son esprit, les époques se chevauchent. Toutes les attaques à son trône se superposent. Il y a eu tant de complots. Tous les deux ou quatre ans. Et celui-ci maintenant. On tire sur le palais et le peuple ne descend pas dans la rue pour le protéger ? Quelque chose a changé. Est-ce qu'il est en train de perdre ? Il sent une fatigue qui vient de loin prendre possession de lui. Elle l'empêche de bondir, de crier des ordres, de réagir avec vigueur. Il sent que dorénavant le pays le regarde avec haine, lui et ses vingt-sept Rolls Roycc, lui et sa cour d'hommes inutiles, lui et ses richesses dans un pays qui meurt la bouche ouverte.

Lorsque Grant arrive près d'Appomatox Court House, dans la maison de McLean, Lee est déjà là, dans un uniforme impeccable. Grant, lui, n'a pas songé à se changer. Son uniforme est crotté. Il ne l'a pas fait pour humilier son adversaire, il est venu comme il était, plein de la boue de son campement. À son arrivée, la solennité s'abat sur les lieux et écrase tous les hommes qui sont là. Le visage de Grant, à cet instant, est étrange. Ce qu'il exprime le plus, c'est l'abattement. Comme s'il était dévasté par cette victoire. Comme si ce moment qui mettait un terme à quatre années de saignement et de carnage le plongeait dans la plus profonde tristesse. Lee reste digne, exemplaire. Pour échanger quelques mots avant la signature de la reddition, Grant rappelle à Lee qu'ils se sont déjà vus. C'était lors des campagnes mexicaines. Il se souvient bien de l'aura que le général confédéré avait déjà à l'époque. Il a évoqué ce souvenir pour dire son respect, mais c'était une autre vie et Lee ne se souvient pas… Tant d'hommes sont morts depuis. Ils se serrent la main. Lincoln a autorisé Grant à offrir à Lee de généreuses conditions de reddition. Les soldats sudistes seront désarmés et nourris. Les officiers seront libres. Il faut déjà penser à la réconciliation. Lorsqu'ils sortent de la maison d'Appomatox, les soldats de l'Union hurlent spontanément de joie mais Grant les fait taire d'un geste de la main. On ne fête pas la victoire dans une guerre civile. L'ennemi d'hier est le voisin de demain. Les rangs se taisent. Et les hommes font une haie d'honneur à la délégation sudiste, qui repart, mâchoire serrée, annoncer aux troupes qu'ils ont perdu la guerre mais qu'ils auront à manger ce soir.

Lorsqu'il arrive à Libyssa, en Bithynie, Hannibal apprend la nouvelle de la mort de Scipion. Comme c'est étrange… Il a survécu à son vainqueur. Scipion était de dix ans son cadet, mais il vient de mourir à Linterne, dans sa maison face à la mer. Hannibal éprouve une étrange tristesse. Tant que Scipion vivait, il savait qu'il pouvait compter sur lui pour qu'il ne lui arrive rien. Scipion n'aurait pas toléré qu'on lui réserve un sort indigne. Il l'avait protégé, déjà, après la défaite de Zama, usant de son influence pour qu'Hannibal puisse rester à Carthage. Mais maintenant… Rien ne les empêchera de l'égorger comme un chien, au moment où cela leur semblera opportun. Il n'est plus un guerrier car il n'a plus d'armée. Il n'est plus un seigneur puisqu'il est en exil, même plus un opposant car il ne fait plus peur à personne. Il est un épouvantail que l'on tuera un jour en faisant de grands gestes pour montrer qu'on est fort. Il est une marionnette dont l'assassinat servira au fantoche qui l'aura ordonné. Rien de plus. La vie sera ainsi désormais, dans cette maison, sur le bord de mer, attendant le jour de sa mort. Et il ne peut plus douter que le monde auquel il appartient a commencé à mourir

Ce que l'on vénérait hier est foulé aux pieds aujourd'hui… Chaque matin, l'ennemi se présente à la porte de son palais. Des hommes en uniforme, armés, grimpent les marches quatre à quatre, avec une liste de noms écrits sur un petit papier. Chaque matin, le Derg vient et procède à des arrestations : ses ministres, ses conseillers, les membres de la cour, ses proches aussi. Petit à petit, jour après jour, on l'ampute, on l'isole. Il ne dit rien, regarde ceux que l'on emmène puis demande à son valet de lui préparer à boire. Il déambule de moins en moins dans les couloirs. Tous ceux qu'il croise veulent quelque chose de lui et il n'a plus rien à donner. On l'exhorte à réagir, à s'organiser ou à laisser sa fille manœuvrer. Il ne répond pas, quitte au plus vite les pièces où on l'aborde, laissez-moi, il ne le dit pas mais ses yeux l'expriment chaque fois qu'il croise quelqu'un, laissez-moi, il ne veut plus rien, demande juste que son valet vienne l'aider à s'habiller à 4 h 45, tous les matins, comme toujours, le reste n'a pas d'importance. Laissez-moi, peu importent les arrestations, les exécutions sommaires et les étranglements dans les caves des casernes pourvu qu'on le réveille tous les jours à 4 h 45. Il ne sait plus si c'est Menghistu ou un autre qui l'attaque, cette société étrange qui a un nom mais aucun leader... Laissez-moi, il marche à petits pas, comme un vieillard, dans sa robe de chambre brodée, sentant que son palais bruisse d'inquiétude dès le réveil, parce que tous savent que chaque jour une délégation de militaires viendra frapper à la porte, armes au poing, avec une liste de noms, et que chaque jour des hommes disparaîtront, laissez-moi, on lui dit que la famine frappe le Nord du pays, on lui dit la corruption, les listes de noms sont toujours plus longues, et chaque jour le palais est un peu plus vide, laissez-moi, jusqu'à ce jour où c'est lui que les hommes en treillis viennent chercher.

Est-ce qu'il croyait que le sang cesserait de couler avec la reddition de Lee ? Est-ce qu'il croyait qu'il pourrait jouir enfin de la paix et retrouver son innocence d'avant? Il y a trop de cadavres et les morts réclament leur dû. Grant a vu le président ce matin. Il a participé à une réunion du cabinet. Il est resté à écouter cet homme qu'il admire, cet homme qui les a menés à la victoire, confiant dans les mesures qu'il prenait, puis il a décliné l'invitation au théâtre que lui a faite le président, a pris congé et est reparti à Philadelphie. C'est ce soir qu'on lui apprend la nouvelle. D'abord, il ne comprend pas pourquoi tout le monde crie, pourquoi des gens pleurent dans la rue alors qu'il est déjà si tard. La nouvelle passe de bouche en bouche, dans la rue, dans les maisons, dans tout le pays : Lincoln vient d'être assassiné, au théâtre Ford, durant cette soirée à laquelle il était lui-même convié. Cinq jours après la reddition du Sud, Lincoln est mort. Les assassinés sont là, de plus en plus nombreux, et pèsent de tout leur poids sur le monde des vivants.

Son valet est venu le prévenir : les hommes du Derg l'attendent devant la porte. Il descend de sa chambre. Les couloirs paraissent grands maintenant qu'ils sont vides. Il marche sans urgence. Il y a, dans les salons qu'il traverse, des guéridons renversés et des assiettes brisées à terre. Pourquoi n'ont-elles pas été ramassées? Le désastre a rongé le palais. Il descend les escaliers avec lenteur. Lorsqu'il arrive enfin face aux militaires – des jeunes gens aux manières du peuple qui parlent fort pour cacher qu'ils sont impressionnés ou pour ne pas trop montrer leur mépris – il s'entend réitérer l'ordre de les suivre sur-le-champ. Il accepte mais exige que son valet puisse venir avec lui. Il demande aussi à pouvoir monter dans une de ses Rolls et pas dans cette horrible Volkswagen grise qui l'attend devant le perron entre deux jeeps militaires. Les hommes en treillis n'ont pas l'air de comprendre. Ils refusent catégoriquement et l'emmènent à la caserne. Il ne dit plus rien, ne proteste pas. Le nom du chef de l'insurrection est connu maintenant : Menghistu Hailé Mariam. Il avait raison : peut-être est-ce en partie l'esprit de l'autre Menghistu qui revient. Tout se mélange… On dit que la mère de celui-ci était servante au palais royal. À la sortie du palais, tandis qu'il monte dans la Volkswagen, le peuple se presse mais personne ne l'acclame. Partout où il apparaissait autrefois, le peuple hurlait sa joie. Est-ce cela le vrai signe que tout est sur le point de finir et que le monde qu'il connaissait, le monde sur lequel il a régné est englouti ?

Tout le monde s'inquiète autour de lui. Ce n'est pas la vieillesse. Ce n'est pas la calomnie, c'est la pauvreté. Le voilà ruiné. Julia est tourmentée. Son ami Mark Twain l'exhorte à écrire ses Mémoires et lui promet qu'il pourra en tirer un bon prix. Une vie défaite. Il a été président. Mais s'en souviendra-t-on ? Deux mandats. Tous les deux rongés par la corruption. Il a fait ensuite le tour du monde, dormi dans les plus beaux palais, à Paris, Londres, New Delhi. Il a été reçu partout en héros et il finit là, avec cette couverture sur les jambes, épuisé et bercé seulement par le rocking-chair et ses souvenirs.

Il contemple sa cellule. C'est ici que tout s'achève, entre ces quatre murs, dans une pièce sans âme, pas vraiment inconfortable mais laide. Il ne bougera plus, restera là, dans la caserne de la quatrième division, celle qui a lancé le coup d'État, celle qui est venue frapper chaque jour à la porte du palais présidentiel avec une liste de noms et a fait exécuter les dignitaires le soir même devant un peloton, à quelques pas du palais. Il a connu l'exil déjà, la fuite aussi, il s'est caché dans des grottes, a marché de nuit pour échapper à la traque de ses ennemis, mais l'exiguïté d'une cellule, jamais. Il apprend. Il ne manque de rien. On le nourrit. Ils l'ont même emmené à l'hôpital de la garde impériale pour l'opérer de la prostate. Il ne pense à rien, n'espère aucune libération. Étrangement, ce dont il pensait ne pouvoir se passer, son valet, le faste de la cour, son cuisinier, ne lui manquent pas. Il est dépouillé de tout, ne possède plus rien. Les journées n'ont plus vraiment d'objet. Il ne parle avec personne. Juste un corps qui dure, inutile, isolé, invisible. Et tout continue au dehors. Le pays vit. Les hommes travaillent. Il est sorti du monde, défait, minuscule, et personne ne le pleure.

Tout le monde s'inquiète mais pas lui. Il écrira ses Mémoires. Pour laisser quelque chose à ses enfants, mais au fond peu lui importe. Qui peut comprendre ce que fut sa vie? Il est nu et fatigué. Il pense sans cesse à Lincoln, à Lee, à Sherman. Les trois seules personnes par qui il accepterait d'être jugé. Eux aussi ont vu l'homme nu. Eux aussi ont ordonné le meurtre et en ont été félicités. Eux aussi ont toujours su que dans leur dos marchait une armée de morts.

Est-ce qu'ils l'empoisonnent? Oui, sûrement. Mais il mange quand même. Comment pourrait-il faire autrement? Il est persuadé qu'ils l'empoisonnent parce que c'est ce qu'il ferait à leur place. Une mort progressive, que l'on peut faire passer pour une défaite du corps. Pas un crime. Pas une exécution. C'est ce qu'il a fait avec Yassou, le fils héritier de Ménélik. Il ne le regrette pas. Yassou était fou. Un vrai dément. Les Italiens voulaient qu'il soit roi des rois pour en faire leur fantoche. Il a ordonné qu'on l'arrête et l'a tenu prisonnier dans un lieu aveugle au fin fond du Harar. Puis il l'a empoisonné. Lentement. Alors c'est peut-être bien ce qu'ils font avec lui. Mais cela l'indiffère.

Un jour – est-ce que la date a la moindre importance? – la mort surgit. Elle porte le visage du fils d'un des pêcheurs de Libyssa. Le jeune homme arrive en courant, essoufflé, le visage déformé par la peur et il sait, à cet instant, que c'est son dernier jour de vie. "Ils sont là…!" Le garçon répète cette phrase jusqu'à ne plus parvenir à respirer. Hannibal essaie de le faire parler. Combien sont-ils? Où sont-ils? Mais le jeune homme se contente de montrer du doigt derrière lui. Et déjà, il entend les coups sur la porte.

C'est le temps du désastre maintenant. Il a froid si souvent. Il ne peut plus fumer. Ses chers cigares qui avaient le goût des campements et des chevaux lui sont interdits. Il laisse son esprit courir, refaire sans cesse la bataille. Il y a tant de visages qui peuplent son esprit, tant d'hommes sont passés devant lui, au rythme des armées ou en longues colonnes de prisonniers, avec la détresse boiteuse des blessés ou en courant, pris de panique, tant d'hommes, aux obsèques de Lincoln, aux anniversaires commémoratifs, une foule immense qui lui emplit l'esprit.

Il sent d'instinct qu'il n'aura pas le temps de s'enfuir. Il avait pourtant prévu ce jour. Sa maison compte sept issues différentes. Il savait bien qu'un jour ou l'autre il serait vendu aux Romains. Mais tout va si vite. Il n'a le temps de rien. La porte a été enfoncée. Les tueurs approchent. Il ne lui reste plus que quelques instants. Il ouvre alors sa bague qui contient du poison et avale son contenu avec avidité.

Il apprend à vivre dans une pièce dont il ne peut sortir avec toujours cette impassibilité de vieillard, comme si tout l'avait quitté depuis longtemps, la peur, la joie, le sentiment d'ambition ou le désir de revanche, comme s'il ne restait plus rien qu'un homme sec qui accepte d'être roulé dans les mains de l'Histoire. Tout l'indiffère. Il est juste cet homme, là, dans une cellule, à deux pas du palais où il régnait. L'Histoire en a décidé ainsi, et il est vide, vide de tout le tumulte qui l'a accompagné durant sa vie, comme si le seul présent que lui offrait l'Histoire, c'était le silence, le silence grand, apaisant d'avant la mort.

C'est le temps du désastre maintenant et c'est bien. Il rougirait de mourir en gloire. Qu'il soit ruiné, qu'il ait froid, cela n'est pas grand-chose. Il a perdu depuis longtemps les mots pour se plaindre et il s'habitue, lentement, à l'idée de finir sur sa terrasse, aux heures douces, lorsque la lumière faiblit avant que l'humidité ne le saisisse. Les hommes finissent toujours vaincus. Il emmène avec lui ses souvenirs de fièvre, ses nuits d'alcool, son épuisement de guerre, il emmène avec lui tout ce qu'il a été et meurt sans regret car le reste n'est rien.

Il saisit un glaive parce qu'il veut mourir l'arme à la main et tenir à distance les ennemis le temps que le poison fasse effet, mais l'arme lui semble incroyablement lourde et il ne peut empêcher qu'elle retombe au sol dans un bruit sourd de métal. La tête lui tourne. Les soldats romains pénètrent dans la pièce, visages lourds, mains épaisses. Combien sont-ils? Il n'est pas certain de parvenir à les compter. Sa vue se brouille. Une écume blanche lui monte aux lèvres. La surprise qu'il lit sur le visage de ses assaillants avant de tomber au sol, cette surprise est une victoire qu'il serre fort en son esprit.

Et puis un jour Menghistu Hailé Mariam se présente à lui, dans sa cellule. Il est venu pour le tuer. Il ne peut plus attendre que la vieillesse ou le poison viennent à bout de lui, cela va trop lentement. Se parlent-ils? Que pourraient-ils se dire? Hailé Sélassié sait ce que son bourreau est venu faire. Il ne veut pas supplier. Il ne bouge pas. Il reste impassible, comme il l'a toujours été. Il n'est plus rien qu'un petit homme sec qui ne mettra pas longtemps à mourir. Menghistu s'approche, va l'étouffer entre deux matelas. Cela ne prendra que quelques secondes, quelques minutes tout au plus… Il va serrer fort, peser de tout son poids et un monde disparaîtra. Ils ne se parlent pas. Il n'y a rien à dire. L'un est venu tuer l'autre. C'est tout. Le jour est vaste à l'extérieur mais Hailé Sélassié ne le connaîtra pas. Menghistu s'approche encore, se penche sur le lit, et l'air déjà commence à manquer.

Combien de temps encore reste-t-il au sol, en train de mourir mais conscient? Combien de temps avant qu'un des tueurs, peut-être, énervé de n'avoir pas pu s'acquitter pleinement de sa mission, ne lui plante son glaive dans le dos ou ne lui tranche la tête? Combien de temps avant qu'il ne sombre? Il repense à sa vie – long galop guerrier sur une terre en feu –, il repense à la victoire qu'il emmène avec lui, malgré la mort, celle d'être devenu un nom, insaisissable à ses ennemis, "Hannibal", et il sourit.

Tout s'achève.

Sheridan. Grant. Sherman. Lee. Une génération de héros, de bouchers. Qui aurait envie de pleurer sur leur disparition? Il ne peut y avoir de tristesse. Un soulagement presque. Trop de sang. Celui versé, dans lequel on a marché, celui répandu à terre qui a nourri les arbres des champs de bataille…

Ils se sont enterrés les uns les autres. Le jour des obsèques de Sherman, le général sudiste Johnston, son ennemi, a porté son cercueil. Il pleuvait et on lui a dit de mettre son chapeau. Il a refusé, arguant que ce serait indigne et que si Sherman portait son cercueil à lui, il ne le ferait certainement pas avec un chapeau... Johnston s'est obstiné. Il a fini par attraper une pneumonie qui l'a emporté quelques semaines plus tard. Ils sont liés par le sang et meurent ensemble.

Restent les dépouilles. Celles que l'on cache et celles que l'on glorifie. La nation a érigé pour Grant un mausolée immense qui doit sembler bien vide à son pauvre squelette. Il aurait peut-être préféré un arbre sur le champ de bataille de Shiloh, mais le marbre doit aller aux héros...

Pour le corps des vaincus, il y a encore la haine.

Le ministre de la guerre, Edwin Stanton, a demandé au chef de l'intendance militaire de s'occuper de cette question : trouver un endroit où accueillir les corps de cette immense boucherie civile. Et Montgomery Meigs a choisi Arlington, l'ancienne propriété du général Lee. Ils ont construit le cimetière militaire de la nation dans le jardin du vaincu.

Le corps d'Hannibal est caché, enfoui dans le secret. On se presse de le faire disparaître parce que, même sans vie, il fait encore trembler Rome.

Dans la cave de la caserne d'Addis Abeba, on retrouvera un jour les ossements du Négus, cachés au fond d'un trou. Une cérémonie aura lieu, dans la cathédrale Saint-Georges, pour que ses os souillés par trente ans d'obscurité deviennent reliques et que le roi des rois, le lion de la tribu de Juda, repose en paix.

Mais le peuvent-ils encore, tous ces hommes, reposer en paix?

XIII

ALEXANDRIE

Elle est à Alexandrie, dans la nuit méditerranéenne, sur cette rive où l'air est humide et où les hirondelles font, à l'heure où le soleil se couche, un vacarme assourdissant. Elle est là tandis que lui est à Tripoli, côte à côte presque, mais ils ne le savent pas. Elle ne dort pas. Sa chambre possède un petit balcon qui donne sur la mer et elle s'y est installée. Les jambes sur le parapet, relevant sa jupe pour sentir un peu la fraîcheur, elle repense à Marwan. L'air doux du soir l'enveloppe. Elle se souvient de leur tout dernier rendez-vous. Elle l'avait revu après leur rupture. Une seule fois. C'est lui qui avait appelé, profitant d'un moment où elle était de passage au Caire. Sa voix au téléphone avait changé, vieilli. Il lui avait demandé s'il était possible de se retrouver au café Riche à 18 heures. Elle avait acquiescé. Pendant les heures qui la séparaient du rendez-vous, elle s'était demandé ce qu'il pouvait bien lui vouloir. Il y avait quelque chose de pressant dans sa voix. Elle arriva au café en avance. Elle s'assit à une petite table d'où elle pouvait voir l'entrée et elle commanda un thé. Étrangement, le café était un peu vide. Et puis il apparut dans l'embrasure de la porte, et elle faillit mettre la main devant sa bouche. Il avait maigri, marchait comme un vieillard. On voyait que cette sortie devait être la première depuis bien longtemps. Il s'était habillé avec un beau costume mais son corps flottait dedans et lui donnait l'aspect d'une marionnette fatiguée. Qu'avait-il prétexté pour sortir ainsi de chez lui et venir la rejoindre ? Il sourit lorsqu'il l'aperçut. Elle ne sut pas si elle devait se lever, lui faire la bise… Il coupa court à ses hésitations en faisant un signe de la main qui signifiait qu'elle devait rester assise, puis il se renversa sur la chaise comme un nageur épuisé qui atteint enfin la rive. Sa respiration était courte. Il avait le visage émacié. Le garçon de café lui dit que c'était un plaisir de le revoir, lui donna du "monsieur" par-ci, "monsieur" par-là, puis partit chercher un deuxième thé. Ils ne parlèrent pas d'eux, de leur histoire, de la rupture. Ils ne parlèrent pas de la maladie qui le rongeait et ne laisserait bientôt de lui que des os dans un costume trop vaste. Il n'était pas venu pour cela, elle l'avait compris tout de suite. Lorsque le second thé fut apporté et qu'ils furent enfin tranquilles, il sortit d'un sac un objet emmitouflé dans du papier de soie et le posa sur la table. "Je vais te raconter une histoire, dit-il. Tu ne m'interrogeras pas, tu ne diras rien. Et à la fin, tu prendras ou tu ne prendras pas ce paquet." Et alors, dans la salle un peu endormie du café Riche, il se mit à raconter. Rien ne le déconcentra, ni le pas traînant des garçons de café, ni l'entrée parfois d'un groupe d'étudiants poussant la porte avec le sentiment de venir ici, dans un de ces lieux où l'on décide du monde à bâtir demain, dans une sorte d'ivresse et de tension, rien, et ils semblaient tous les deux bien loin du reste du monde. Il parla de Mariette Pacha. Il revint sur les heures fiévreuses des fouilles du Sérapéum, à cette époque où l'archéologie moderne s'inventait. Il parla de la concurrence sauvage qui régnait alors en Égypte entre les différentes nations européennes. Lepsius, le chef de file de l'archéologie allemande, et Mariette savaient bien tous les deux que c'était à qui en prendrait le plus, le plus vite possible. Et puis il y avait Salomon Fernandez, le soi-disant antiquaire qui pillait les sites. Depuis la campagne de Napoléon, l'Égypte était une boutique d'antiquités à ciel ouvert. "Il faut imaginer, disait-il avec une sorte de jubilation retrouvée, ce qu'ils ont vécu, ces hommes-là. Entre pilleurs et archéologues." Et il expliquait qu'il fallait ruser pour obtenir des firmans. Que ces droits de fouille arrivaient parfois de façon aléatoire. Que Mariette, en attendant qu'on lui en octroie un, avait dû interrompre ses fouilles. "Et là, dit Marwan, sais-tu ce qu'il a fait ? Un archéologue. Comme toi et moi, qui sait qu'il est au bon endroit, que sous ses pieds il y a tout ce qu'il a cherché depuis des mois, des années, mais qui ne peut pas creuser parce qu'il lui manque un papier officiel avec un tampon, parce qu'il n'a pas frappé au bon bureau ou pas graissé la bonne patte, qu'est-ce qu'il fait… ?" Il parla alors des ruses de Mariette Pacha : les fouilles de nuit, lorsque les surveillants envoyés par le pouvoir en place rentraient chez eux. À la torche, avec une équipe réduite. Et puis l'exfiltration des objets avec l'aide des visiteurs étrangers. Pour échapper à la surveillance des autorités, chaque visiteur français repartait avec, sous le châle ou dans le sac des dames, une statue, un bijou. Est-ce que ce n'était pas du pillage, cela ? Des ruses de pirates ? Et pourtant Mariette a créé l'archéologie moderne et choisi l'Égypte, s'installant à Boulaq, y créant un musée. Il y est enterré encore, devant ce musée qu'il a donné à l'Égypte et qui était une façon de cesser d'envoyer les objets au Louvre. Elle écouta, se demandant pourquoi il lui racontait tout cela mais prenant le temps de contempler ses yeux qui n'avaient rien perdu de leur éclat. "Et puis, il y a ce jour, dit-il, où Mariette va voir Paul-Émile Botta à Paris. Je ne sais pas où ils se sont rencontrés. Peut-être chez Botta. Le jeune Mariette est sûrement nerveux et impressionné. Il a devant lui le consul de Mossoul, de Jérusalem, de Tripoli. Il a surtout devant lui celui qui a découvert les géants de Khorsabad. Je ne sais pas à quel moment il a posé cet objet devant Botta et quels mots il a trouvés. J'imagine qu'il a parlé de l'importance de ne pas oublier que nous sommes des pilleurs de tombes. Que les pharaons se sont enfermés dans leur tombeau pour l'éternité et que nos ouvertures, nos effractions, même au nom de l'Histoire, restent des intrusions de forbans. Il ne faut pas l'oublier. Nous construisons une science, nous sommes rigoureux, nous étudions dans les bibliothèques, nous parlons de patrimoine, de l'Histoire, de la mémoire des civilisations, mais il ne faut pas taire cette chose-là : le plaisir de l'effraction. Les squelettes, les momies, les objets funéraires, nous les volons au néant. Nous ouvrons des salles qui devaient rester fermées. Hier c'était à la dynamite, aujourd'hui c'est avec une infinie précaution, mais malheur à celui qui oublie que le geste est le même. C'est ce qu'a dû dire Mariette à Botta, puis il lui a tendu l'objet qu'il lui avait apporté. Non pas comme un larcin. Non pas comme l'impératrice lui demandera quelques années plus tard les bijoux de la reine Iâhhotep – qu'il refusera de donner d'ailleurs, outré par cette requête obscène –, non, il tend cet objet à Botta comme un pacte. Entre eux, qui ont fouillé, monté des expéditions, dirigé des équipes, il faut un objet volé que l'on se transmette de génération en génération pour ne jamais oublier que l'archéologie a à voir avec le pillage. Mais Botta le regarde, médusé, les joues rouges. Il fronce les sourcils, balbutie, se récrie. Comment osez-vous, jeune homme… ou quelque chose comme cela. Vous me prenez pour un pilleur? J'ai travaillé pour la France. Pour l'humanité. Tous ces grands mots qu'il jette à la figure de Mariette comme des gifles qui tomberaient sur un chapardeur de quinze ans. C'est une honte. Et tout cela… parce qu'il ne comprend pas, ne sait pas que l'homme qu'il a en face de lui n'a aucune leçon d'éthique à recevoir. Qu'il donnera à l'Égypte bien plus que quiconque à cette époque. Et Mariette repart, déconfit, se demandant ce qu'il lui a pris, s'inquiétant même de savoir si le consul va le dénoncer. Et puis le temps passe. Mais l'idée reste : un objet volé pour ne pas oublier que nous sommes des pilleurs de tombes. Et lorsque le jeune Maspero arrive dans sa vie, juste avant que sa femme et sa fille ne meurent et qu'il ne les enterre dans le cimetière du Vieux Caire, il voit en lui son digne successeur. Maspero est brillant, élégant, cultivé. Mariette pressent que cette génération sera plus méthodique que la sienne, plus scientifique, et il repense alors à l'objet car pour ces hommes de l'ère scientifique il sera peut-être encore plus crucial de ne pas oublier l'effraction. Alors il tend l'objet au jeune homme, surpris d'abord, sûrement, ébahi même, un peu honteux car il n'a probablement jamais rien volé de sa vie, mais Maspero est intelligent et il accepte."

Elle repense au récit de Marwan, là, les pieds sur la balustrade de son balcon. À ce dernier rendez-vous au café Riche. Il avait fini par se taire. Et sa main alors avait poussé devant lui l'objet. "Je l'ai gardé toute ma vie. Pas comme un voleur… Comme un devoir. J'ai toujours su que c'était à toi que je le donnerais." Et c'étaient les derniers mots qu'elle avait entendus prononcés par ses lèvres. Après cela, il était resté silencieux, la laissant prendre son temps pour poser une main sur l'objet et déballer lentement le tissu. Elle avait ouvert grand la bouche lorsque la statue du dieu Bès était apparue. En pierre noire, gros comme la paume d'une main. Le dieu nain aux longs bras, aux jambes courtes et épaisses. Visage de lion et barbe hirsute. Celui qui danse de façon grotesque, grimaçante, pour faire fuir les forces du mal, pour éviter aux hommes les cauchemars et les pannes sexuelles. Le dieu Bès que l'on glisse sous la tête des agonisants à l'instant de mourir pour qu'il veille sur eux dans l'au-delà. Le nain poilu aux sourcils épais, laid et éructant. Elle le prend dans sa main, ne se soucie plus de savoir si les gens du café la regardent ou pas, si quelqu'un autour d'eux se demande ce que c'est que cet objet… Elle accepte et Marwan sourit. Elle se souvient de cet instant : lorsque Marwan a souri. Il s'est levé, n'a plus parlé. Rien. Ni "au revoir", parce qu'il aurait fallu dire adieu, ni "à bientôt", car cela aurait été mentir. Il a payé et il est parti et elle l'a laissé disparaître avec cette canne qu'elle ne lui connaissait pas, marchant comme une montagne qui s'effondre, elle l'a laissé aller à son engloutissement et elle a serré fort le dieu nain. Elle se souvient de cela. Et ce soir, sur la terrasse d'Alexandrie, elle repense à Marwan en sentant que pour la première fois elle n'est plus une maîtresse qui a perdu son amant. Elle s'est éloignée de lui. Elle repense au dieu Bès, au contact de la pierre dans sa main. Cette statue glissée dans la terre il y a des milliers d'années, que Mariette Pacha a tenue, puis Maspero, puis d'autres, une longue chaîne d'archéologues qui acceptaient, en la prenant, la part d'ombre de leur métier. Et Botta aurait dû la prendre. S'il avait su que deux cent neuf caisses remplies d'antiquités exhumées du site qu'il avait découvert allaient sombrer au fond du Tigre, il l'aurait prise. Elle repense à cette longue chaîne d'hommes et de femmes qui va jusqu'à elle et jusqu'à l'homme à qui elle l'a donnée, le premier, peut-être, à ne pas être un archéologue. Et encore ? Qu'en sait-elle ? La statue de Bès est remise dans la vie, passant de pays en pays, de soubresauts en soubresauts. Certains sont morts, d'autres ont voulu s'en débarrasser, mais toujours, jusqu'à elle, l'objet a été donné. Elle se demande alors ce qu'Assem comprendra de ce geste, de cet objet, et ce qu'il en fera. Elle pense à lui. Et c'est étrange mais elle y pense comme elle penserait à son amant. Se reverront-ils seulement ? Cette histoire a grandi en elle depuis le jour où ils se sont vus. Cet homme a pris de la place. Elle pense à lui, dans cette nuit qui les unit, sur la même rive de la Méditerranée, entourée de la même chaleur humide, épaisse, qui fait ployer les feuilles des palmiers, d'Alexandrie à Tripoli, et elle espère que le dieu nain veille sur lui où qu'il soit, écartant de ses grimaces les cauchemars qui tournent autour des hommes.

XIV
TRIPOLI

Il s'est assis en face de Job. L'Américain le laisse s'installer en le regardant calmement, puis lui demande avec un sourire étrange :

"Pourquoi êtes-vous venu ?"

Il n'est pas certain de savoir mais il répond tout de même :

"Pour que nous puissions finir notre conversation."

Job sourit.

"Vous valez mieux qu'eux, lieutenant…" Et il se sert un verre. Puis, avec un air joueur, il lui lance : "Vous avez raison. Vous êtes là pour que tout s'achève. Et c'est bien… C'est ce que j'espérais."

Et avant qu'Assem ne prenne la parole, il poursuit :

"C'est la défaite qui nous lie, lieutenant…"

Et Assem sent alors ce qu'il avait senti à Beyrouth : que, d'un coup, par le pouvoir des mots, le temps se dilate.

Job a les yeux qui brillent dans la pénombre du grand salon. Au loin, on entend parfois des tirs d'armes automatiques. Il ne sursaute pas mais une inquiétude passe sur son visage, le temps d'une seconde. La défaite… Assem sait que Job dit vrai. Il sait que c'est cela qu'ils partagent depuis le début : la conviction profonde qu'ils ont été vaincus. Il ne s'agit plus de réussir ou d'échouer. La défaite vraie, profonde, la défaite que les hommes sentent en eux, un beau jour, comme une force qui leur pèse, les rend moins rapides, moins innocents, la défaite du corps qui s'empâte, se gonfle, s'essouffle, et les yeux qui voudraient ne pas avoir tant vu. La défaite intime, profonde face à cette chose qui approche, à laquelle l'homme ne peut échapper et qui s'appelle l'engloutissement.

"Pour quelles causes nous sommes-nous battus, lieutenant?" demande encore Job avec un air de plus en plus agité. Assem ne sait comment répondre à cette question. Alors il en pose une autre.

"Et maintenant, demande-t-il à l'Américain sans détour, qu'allez-vous faire?" L'autre ne tique pas, le regarde avec force, et répond :

"Les batailles qu'on nous a demandé de gagner nous les avons gagnées, mais nous savons, vous et moi, que nous sommes vaincus, nous le sentons, à l'intérieur, quelque chose est allé trop loin, ou a perdu son sens... Est-ce que ce n'est pas vrai, lieutenant?"

Assem pense à ce jour, toujours le même, sur la route de Syrte, où il était dans la foule des opposants libyens, ce jour de chaleur avec la silhouette désarticulée de Kadhafi et les coups de feu dans le ciel moite. Une partie de lui est restée là-bas, et Job, peut-être, a raison...

"Maintenant, je vais vous dire ce que nous allons faire, continue Job avec plus d'assurance et un étrange sourire sur le visage. Je vais vous raconter ce que je suis. Vraiment. Sans masque. Et lorsque j'aurai fini, ce sera à vous de juger. Vous voulez...?

Quand je dis juger, je veux dire que c'est vous qui me direz si je dois vivre ou mourir…"

Il n'y a plus aucun son dans le hall de l'hôtel – juste sa voix à lui, épaisse, obstinée, qui semble avoir pris possession de l'espace et règne sur les banquettes, les fauteuils, comme un souverain en son royaume, et il poursuit :

"C'est pour cela qu'on vous a envoyé, non…? Savoir si je dois vivre ou pas…? Je ne vous demande rien de plus que ce qu'ils vous ont demandé. Sauf qu'eux, c'était pour voir si je représentais un risque pour les États-Unis ou quelque chose dans le genre… Oubliez-les. Entre vous et moi, c'est autre chose."

Assem répond un peu vite, comme s'il voulait éviter d'entrer dans ces territoires où il pressent qu'il va se perdre.

"Vous savez qu'ils vont tout faire pour vous neutraliser?"

Job prend son temps, le regarde avec une sorte de bienveillance dans les yeux et lui dit :

"Nous n'en sommes plus là."

Assem ne sait plus que dire. L'entretien prend un tour qui lui échappe. Il voudrait se lever et partir.

"Je ne comprends pas… balbutie-t-il.

— Si, vous comprenez très bien, rétorque Job avec un regard dur. Et vous savez que c'est ainsi que cela finira. Si vous pensez que je dois vivre, je m'en irai et ils ne me retrouveront jamais. Mais je veux l'entendre de votre bouche. Nous en avons fini avec l'obéissance, vous et moi. Ce qui existe maintenant de l'un à l'autre, c'est la loyauté…"

Assem voudrait dire non, trouver des mots pour le ramener à la raison mais il ne bouge pas, ne dit rien, semble consentir, et l'autre, alors, reprend :

"Je vais vous raconter ce qu'il s'est passé à Kalafgan…"

Il n'y a plus personne autour d'eux. Cela fait bien
longtemps que les hommes d'affaires se sont levés
et sont partis. Les verres sont encore sur la table et
il est difficile de savoir combien de temps ils y res-
teront tant tout semble immobilisé. Ils sont seuls
dans le bâtiment. La nuit humide ne pénètre par
les fenêtres entrebâillées que lorsqu'un peu de vent
a assez de force pour soulever un des lourds rideaux
en taffetas – vestige du temps où, dans ces lieux,
l'argent coulait.

"Vous saviez que dans l'Antiquité certains prêtres
considéraient qu'on pouvait lire la volonté des dieux
en contemplant le mouvement des enfants dans une
cour de récréation ? Lorsqu'ils jouent, leurs cris, leurs
déplacements, les gestes qu'ils font, les bagarres, les
jeux, tout a un sens.

— Pourquoi me racontez-vous cela… ? demande
Assem.

— Parce que je l'ai fait, reprend Job avec une
voix dure. En Afghanistan, à Kalafgan, je l'ai fait.
J'ai regardé une cour d'enfants. Les allées et venues.
Les cris. Les traces de leurs pieds dans la poussière
du sol. Et les dieux m'ont parlé. C'était beau. La
lumière du ciel. L'éclat des voix. Je vous jure. C'était
beau. Mais ce que j'ai entendu, vous savez ce que
c'était ? « Destruction ». C'est ce mot-là que les dieux
m'ont murmuré à l'oreille. Là, avec les va-et-vient
des enfants : « Destruction ». Je le sentais comme
si le mot était écrit dans l'air, comme si les enfants
eux-mêmes le demandaient. Il fallait tuer quelque
chose, absolument, et le plus vite possible. Je l'ai fait.
Les dieux ne mentent pas, n'est-ce pas… ? Je leur ai

obéi. J'ai donné les coordonnées de la madrassa à la base de Creech dans le Nevada et un missile est parti de loin pour venir s'écraser devant moi et accomplir la volonté des dieux. Destruction. Les enfants n'étaient plus. Je l'ai fait et je suis resté jusqu'au bout pour pouvoir marcher dans la cour une fois que le feu s'était abattu et écouter le silence, mais il n'y a pas eu de silence, juste les hurlements des villageois, les mains qui s'agrippaient, la haine partout, la mienne, la leur, leurs insultes que je comprenais, que je partageais, et j'aurais pu les frapper comme ils me frappaient, peu importe, il fallait des coups à cet instant, dans un sens ou dans l'autre, pour que tout finisse, c'est ce que les dieux avaient demandé, les pierres jetées, les coups donnés, je pensais que ça s'achèverait là, mais ils m'ont sauvé. C'est l'expression qu'ils ont utilisée. J'aurais dû sauter de l'hélicoptère. J'y ai pensé : sauter et mourir déchiré dans les pierres sèches de Kalafgan, mais plus aucun dieu ne m'a dit de le faire. Ils se sont tus."

Assem ne dit rien. Il est tétanisé par ce qu'il vient d'entendre. Job prend son temps. Il repense peut-être à Jasper Kopp. Il vient de dire le secret qui était dans la tombe et Kopp, là-bas, doit enfin pouvoir crier par-delà la mort, soulagé que quelqu'un sache ce qu'il a fait. Et puis soudain, Job reprend la parole :

"Alors, lieutenant. Est-ce que je dois mourir ?"

Assem a chaud, se sent mal. Il ne veut pas de cette question, de ce qu'elle implique.

"Laissez-moi", murmure-t-il. Et pour que l'autre ne se remette pas à parler, il répète, plus fort : "Laissez-moi." Il est sur le point de se lever mais Job va plus vite. D'un geste brusque, il sort sa main de dessous la table et crie :

"Vous ne vous défilerez pas, lieutenant. Vous m'avez promis. La loyauté. Vous vous souvenez ? Il faut répondre maintenant."

Et dans sa main, il tient une grenade.

"Que faites-vous ? demande Assem.

— Vous avez choisi ?"

Avant qu'Assem n'ait eu le temps de réagir, il entend le bruit de la grenade que Job vient de dégoupiller. Il la tient maintenant contre lui, dans la main. À tout moment, il peut lâcher la pression et tout sautera : le fauteuil, la table, Assem... Ils peuvent mourir ensemble. Cela dépend de Job. S'il relâche la pression de son doigt, tout finira ici. Mais il ne le fait pas. Il reste assis, la main crispée sur la grenade, en le regardant fixement.

"Est-ce que je dois vivre ?" demande-t-il encore.

Assem se tait. Il n'a plus aucun mot en lui.

"Regardez-moi... !" hurle Job. Il a le regard enfiévré. Assem lève la tête et plante ses yeux dans les siens. "Vous ne dites rien... ? Vous n'y arrivez pas ? Répondez, lieutenant."

Et Assem, alors, dans un souffle à peine audible, laisse échapper ce mot : "Mourir...", et à l'instant même où il l'entend, étrangement, le visage de Job s'éclaire, non pas abattu comme un prisonnier à qui on viendrait de révéler la sentence mais apaisé comme s'il attendait ce mot depuis si longtemps, comme si c'était le plus beau cadeau qu'on puisse lui faire, et il dit alors, avec un sourire reconnaissant, beau presque malgré la fièvre du regard :

"La mort plutôt que ma carcasse... C'est bien. Merci. Tout est bien."

Assem se lève doucement. Il sent que Job va le laisser partir. Il n'est plus avec lui, ne semble même plus le voir. Il a la main toujours sur la grenade, le visage tourné légèrement vers le haut, communiant avec des forces invisibles, à des années-lumière de cette ville qui l'entoure, fixant les siècles. Peut-être reconvoque-t-il en son esprit les fantômes des enfants et de Jasper Kopp, à moins qu'il ne repense à la nuit d'Abbottabad, au bruit de l'hélicoptère durant le vol du retour, avec ce corps à ses pieds, ou à la cour de l'école de Kalafgan sous le ciel d'Afghanistan et aux oracles qui ne disaient que "destruction"... Assem se lève, recule pas à pas, avec lenteur, puis il sort, laissant Job derrière lui sans plus un mot, sans plus un regard. Ils sont trop loin l'un de l'autre dorénavant. Il ne se retourne pas. L'air de la rue lui fait du bien. Quelques voitures, au loin, roulent vite le long de la mer. Il traverse la rue, sait que tout s'achève, là-bas, dans cette pièce qu'il vient de quitter. Job a dû rester dans l'exacte position où il était, parlant peut-être à ses fantômes, ou maudissant ses ennemis... Et puis la détonation déchire le silence, étouffée par les gros murs du Radisson. Il sait que, partout dans le quartier, des hommes et des femmes se sont réveillés en sursaut, se demandant ce qu'il vient de se passer. Il sait qu'on finira par venir voir mais personne ne retrouvera rien, car il n'y a plus là-bas que des bouts de corps calcinés et un sourire qui flotte pour l'éternité.

XV

CANNE DELLA BATTAGLIA

Tout est calme dans la salle du musée et pourtant le monde brûle. Palmyre est tombée. Ils ont assassiné Khaled al-Assaad. Elle vient de l'apprendre. Elle marche dans cette pièce du Bardo où elle a participé à une conférence sur la sauvegarde du patrimoine. Ici, il y a quelques mois, des gens couraient, hurlaient, saignaient... Ils sont venus ici, symboliquement, dire leur soutien, réaffirmer leurs valeurs. Ils ont parlé, l'auditoire a applaudi, et puis un de ses collègues s'est penché vers elle et lui a murmuré : "Ils ont décapité Khaled al-Assaad" en lui montrant son téléphone sur lequel apparaissaient des brèves de chaînes d'information. Elle s'est levée, titubante. Elle a quitté la tribune. Elle a eu envie d'être seule avec les objets. Elle a déambulé lentement dans ce musée immense qui porte maintenant un nom marqué par le sang et elle ne s'est arrêtée que lorsqu'elle s'est trouvée devant le masque rouge en terre cuite, au nez tordu, à la bouche grimaçante, avec ces deux trous sombres à la place des yeux qu'elle a face à elle. De qui rit-il ? D'elle ? De leur impuissance face à la barbarie ? De sa maladie ? Des paroles réconfortantes du bon Dr Hallouche qui regarde les résultats d'analyse comme un père de famille regarderait les bulletins scolaires de sa progéniture ? Non. Le masque regarde plus loin : les hommes qui s'agitent sous ses yeux, les hommes et les femmes qui passent et repassent devant cette vitrine. Il a vu, le jour de l'attentat, les gens pris de panique dans ce musée qui était devenu un piège. Il a entendu les coups de feu, les cris. Peut-être a-t-il aperçu les traces de sang sur les murs… Et il grimace devant cette humanité qui se tue. Le fait-il par dégoût ou simplement pour singer la folie des hommes ? Les entrées de ces bâtiments seront bientôt mieux gardées que des ambassades ou des casernes. Les assassins sont les mêmes que ceux qui entament à la disqueuse les colosses du musée de Mossoul, les mêmes que ceux qui ont pris possession de l'hôtel Zénobie à Palmyre en regardant les vestiges antiques avec un appétit de vautour, les mêmes qui veulent désapprendre aux femmes à lire, qui brûlent le passé et font tomber les colonnes sur les sites immémoriaux. Elle est restée longtemps dans cette pièce, devant ce masque rouge jusqu'à ce qu'elle se dise qu'il ne regardait rien. Non. Les trous à la place des yeux sont là pour que l'on entre en lui, que l'on soit happé par les siècles. Et la bouche ouverte aussi. Alors elle plonge dedans, le temps de ces quelques minutes où plus personne ne l'entoure, loin de tout, du Dr Hallouche qui dit que les résultats sont encourageants, des autres participants à ce colloque qui s'égrènent par petits groupes dans les salles immenses de ce musée construit comme un palais pour les mosaïques mais qui fut un tombeau, ces collègues qui marchent dans les salles en essayant de faire le moins de bruit possible, impressionnés par la mort que l'on sent partout. Elle laisse tout cela et, paradoxalement, elle se sent forte. Là, face au masque, pour la première fois depuis des semaines, elle se sent déterminée. Le combat se poursuit. Elle travaillera encore, malgré la fatigue que lui causeront les traitements, allant et venant toujours de Paris à Bagdad, de l'Europe riche et ventrue, Genève, Zurich, Londres, aux terres qui se convulsent, mais elle a la force encore de le faire, alors elle le fera. Elle traquera les objets pillés, défendra ces musées que l'on veut immoler. Elle pose la main sur la vitre, face au masque, et c'est comme une promesse. Les mots qu'elle a prononcés lors du colloque qui vient de s'achever, où elle parlait d'un combat contre l'obscurantisme qui ne pouvait pas être perdu, qui ne le serait jamais, elle y croit. Et la mort de Khaled al-Assaad ne les annule pas. Le sang coulera à nouveau. Des merveilles venues des temps anciens seront détruites, vendues au marché noir, des hommes et des femmes assassinés, mais il n'y a pas de défaite possible. Car cela voudrait dire accepter de n'être plus ce que nous sommes, cela voudrait dire désapprendre à vivre. Nous avons lu de la poésie depuis trop longtemps, nous avons admiré des mosaïques depuis trop longtemps, il ne peut y avoir de renoncement. D'Alexandrie à Bagdad. De Tunis à Palmyre, elle va poursuivre jusqu'à l'épuisement mais qu'importe puisqu'il ne peut y avoir de défaite.

Il roule vers le sud. La chaleur du mois d'août fait vibrer l'air. À sa gauche, il longe la côte adriatique. Avant d'arriver à Barletta, il quitte la route principale et rentre dans les terres. D'abord, il ne le voit pas, puis enfin surgit un petit écriteau signalant la présence d'un cours d'eau : l'Olfanto. En cette saison, il est à sec et semble si petit, si étroit. On dirait un ravin de mauvaises herbes. Sur le bord de la route, après un virage, des prostituées se sont mises à l'ombre d'un pont jamais achevé. Ce sont des gamines de quinze ans. Elles doivent être roumaines ou albanaises. Corps d'enfants, sans seins ou presque, mais avec déjà des attitudes lascives. Il a le temps de les regarder tandis qu'il les dépasse. La route est petite. Elles le hèlent, font des gestes qui se veulent aguicheurs mais sont juste d'une effroyable tristesse. Elles sont au milieu de nulle part, dans cette campagne frappée de soleil, le long d'une petite route où ne passe aucun camion. Que font-elles là, sous ce pont sale, avec leurs mines de chattes d'égout ? Il roule. Tout cela est triste mais le silence des lieux donne à l'ensemble une beauté majestueuse. Et si elles y participaient, à cette beauté ? Les gamines aux corps souillés, là, au milieu de rien. Tout est à sa place. Laideur et beauté. Sacrifice de l'innocence et majesté de la nature qui se tait parce qu'il fait trop chaud mais attend son heure, attend que le jour tombe ou que le vent se lève, pour bruire et s'animer à nouveau.

Elle a réussi à repousser son vol de deux jours. Elle veut rester ici, à Tunis, sur cette avenue Bourguiba que les barbares regardent avec haine parce qu'elle est libre, parce que les femmes y marchent avec le regard droit, fières d'avoir participé à la chute du dictateur. Elle veut rester à Tunis parce qu'il y a ici quelque chose d'un vertige dans l'air. Comme à Erbil. Qui sait ce que seront ces lieux dans un an, dans deux ans ? Qui sait si c'est une période nouvelle qui s'ouvre, vaste, pleine de possibles, ou juste une parenthèse qui sera vite muselée? À Bab El Bhar, elle hèle un taxi et se fait conduire jusqu'à Sidi Bou Saïd. Elle veut longer la côte, embrasser du regard les sites carthaginois. Elle demande au taxi de passer par le port punique, par la rue où il y a l'entrée du cimetière des enfants. Il essaie de lui expliquer que cela rallongera le trajet mais elle insiste, elle ne veut pas s'arrêter, pas descendre du véhicule, juste passer devant et s'assurer que tout est là, immuable, et que rien ne tremble parce que ces lieux ont vécu la chute de civilisations, l'oubli, la solitude du temps, mais qu'ils sont encore là, malgré tout, et nous regardent.

Il finit par arriver et gare sa voiture devant l'entrée du site. Il n'y a personne. Il a le temps de penser qu'il y a de fortes chances pour que tout soit fermé. À cette heure-ci, en plein mois d'août, par une journée si chaude… Et pourtant non. La porte s'ouvre et un petit homme est assis derrière une guérite. Il n'a pas l'air surpris de voir arriver un visiteur, ne demande rien alors qu'il lui semble à lui que, s'il était à la place de l'employé, il serait curieux de savoir par quel hasard les gens arrivent jusqu'ici. Tout est calme. Il ne s'attarde pas dans la salle et monte tout de suite sur la colline. Canne della Battaglia. C'est ainsi que le lieu se nomme désormais. D'en haut, il voit la mer. Le soleil se couche dans son dos. Le vent – doux – vient du large et fait un léger bruit dans les pins. Il n'y a aucune présence humaine. Un silence de siècle. À gauche, au loin, on voit parfaitement le promontoire du Gargano. À ses pieds, partout le long de la colline jusqu'à la mer, des lauriers, des pins, et ce silence toujours. Des vignes recouvrent maintenant la zone du champ de bataille. Quel vin donnent-elles ? Les racines ont dû, au fil des années, se frayer un chemin au travers des bris d'armes et des squelettes. Il entend le roucoulement paisible de tourterelles au loin. Tout dégage un sentiment de paix. La route, les villes, la chaleur de la foule sont loin. Et pourtant il est sur un cimetière. Canne della Battaglia. C'est ici qu'Hannibal a défait l'armée romaine. Ici qu'en quelques heures quarante-cinq mille Romains ont été tués. La plaine si belle, si douce, qu'il a sous les yeux a longtemps pué les viscères. Il essaie d'imaginer cela : quarante-cinq mille corps mutilés, agonisant, bougeant encore un peu, essayant en vain de se traîner ou implorant qu'on leur vienne en aide. Le silence du lieu vient peut-être de cela : un silence de tombeau. Comment se fait-il que le lieu d'un des plus grands bains de sang de l'humanité soit magnifique ? Il se laisse emplir par le vent chaud qui remonte de la mer. La lumière d'été se pose sur les collines au loin, avec grâce. Job est mort, là-bas, de sa main qui a relâché la grenade, soufflé par l'explosion, décapité par sa propre volonté. Tout s'achève maintenant. L'air est doux. Alors il se penche par terre. Là. Sur le sommet de la colline. Et il creuse un trou à ses pieds, lentement, sans hâte.

Elle arrive tout en haut du village de Sidi Bou Saïd. Le chauffeur de taxi s'est garé près du phare. Elle paie, descend et rejoint à pied le petit cimetière marin qui trône au sommet de la colline. De là, la vue est vaste sur la mer. Elle s'installe sur le muret et contemple l'immensité. Elle est tout près de lui. Dans le même arrêt du monde, s'effaçant comme lui pour laisser entrer le silence des collines et rien d'autre n'a d'importance. Elle est venue ici pour rendre hommage à Khaled al-Assaad. Le vieil homme a été torturé pendant des jours. Les barbares voulaient connaître le lieu du trésor de Palmyre. Il a tenu, les a méprisés jusqu'au bout. Ils l'ont décapité au couteau sur le site même qui était sa vie. Et puis ils ont accroché son corps à un câble qui pendait en haut d'une grue, avec sa tête posée au sol, à ses pieds. Le vieux Priam a été souillé jusque dans la mort. Il n'aura droit ni à l'ombre des tours funéraires ni à la douceur de la terre de Tadmor. Il flotte, pesant et laid, dans l'air chaud du désert, comme une carcasse à l'abattoir. Demain, ils raseront Palmyre. Demain, ils feront sauter à la dynamite le temple de Bêl, les tours funéraires et l'allée de colonnes de la ville antique. Plus rien ne peut les en empêcher. Elle veut penser à lui. Alors elle se lève, les tombes du cimetière dans son dos, et elle ferme les yeux, tournée vers la mer. Elle laisse le vent l'emplir tout entière. Elle pense à Khaled al-Assaad et murmure une vieille prière en araméen. Pour que l'Antiquité soit là, à ses côtés. Les tombes du cimetière marin fixent le cap Bon à l'horizon et la mer est la seule peut-être à se souvenir des mondes engloutis.

Dans cette terre qu'il soulève, il y eut des cris et des combats, de la douleur et un silence de mort. Il repense à Job qui ne sera pas enseveli, Job explosé. Il sait qu'il est désormais loin de tout cela et, au moment où il saisit la statue dans sa poche et la sort, il sent que les morts le regardent. Job est là. Et d'autres encore.

Ceux qu'il a croisés. Ceux qu'il a tués. Mais ça ne l'arrête pas. Quelque chose est plus fort que cela, plus harmonieux. Il pense à Mariam qui lui a donné cette statue. Et il sait qu'elle comprendrait ce qu'il est sur le point de faire. Mariam qui l'accompagne et qui est, à cet instant précis, sur l'autre rive de la Méditerranée, à Sidi Bou Saïd, tout en haut du village, au cimetière marin, sur le petit muret qui domine la mer. Quelque chose va de l'un à l'autre dans cette lumière de fin du jour. Il sort la statue du dieu Bès qu'elle lui a offerte, la statue échappée des fouilles, passée de main en main comme un secret, le dieu nain, laid, difforme, au pénis disproportionné, qui veille sur les hommes et chasse les mauvais esprits, il la sort, il ne sait rien de son histoire, rien même de sa signification, il se souvient de ce que Mariam lui avait raconté sur le taureau Apis lors de leur nuit d'amour, le tombeau des taureaux sacrés, il se souvient de la colonne de vapeur bleue qui est sortie du tombeau pendant quatre heures lorsque Mariette Pacha a ouvert la porte du Sérapéum et c'est comme si la statue qu'il a entre les mains avait le pouvoir de refermer les trous faits aux tombeaux. Ce qui s'était échappé alors – l'air vicié des siècles –, ce qui s'était perdu – la trace de pied du dernier des prêtres –, c'est comme si la statue allait tout rééquilibrer. Il la manipule avec déférence et la pose dans le trou qu'il a creusé. La statue frémit sûrement de retrouver le contact de la terre. Sent-elle qu'elle est loin de l'Égypte ? Non. Car elle est toute proche, comme Mariam à cet instant est toute proche également, dans le cimetière marin de Sidi Bou Saïd et la quiétude de la lumière qui se pose avec douceur sur la terre pour ne pas lui peser. Sait-elle qu'il la pose ? Qu'elle lui sert à cela : à enterrer ses ombres et toutes les autres avec, celles des milliers de morts de Canne della Battaglia. Un dieu, enfin, va veiller sur eux, le dieu nain que l'on glisse sous la tête des défunts pour les apaiser et écarter les tourments. Il la glisse là, dans la colline de Canne della Battaglia, et tous sentent un soulagement. Écoutez nos défaites. Il la glisse pour qu'elle veille sur les Gaulois de la première ligne qui n'ont pas cédé, sur Hannibal empoisonné, qu'elle veille avec son rictus de monstre poilu sur Grant et Sherman, les vainqueurs brûlés, et ces centaines de milliers de jeunes gens qui n'auront pas de vie. Écoutez nos défaites. Qu'elle veille sur Khaled al-Assaad aussi, le Priam décapité. Il la glisse et c'est sa façon de proclamer sa défaite à lui, de lui donner un nom. Il n'est pas triste, il le fait avec douceur et sérénité. Nous avons perdu. Non pas parce que nous avons démérité, non pas à cause de nos erreurs ou de nos manques de discernement, nous n'avons été ni plus orgueilleux ni plus fous que d'autres, mais nous embrassons la défaite parce qu'il n'y a pas de victoire et les généraux médaillés, les totems que les sociétés vénèrent avec ferveur, acquiescent, ils le savent depuis toujours, ils ont été trop loin, se sont perdus trop longtemps pour qu'il y ait victoire. Écoutez nos défaites. Il la glisse et ce pourrait être Mariam qui le fait, à l'autre bout de cette mer Méditerranée qui a connu tant de lumière et tant de sang. Elle le fait, d'ailleurs, par ce long regard circulaire qu'elle laisse courir sur la mer, elle le fait, et elle aussi pense à cet homme qu'elle a vu une seule fois à Zurich mais qui n'a pas cessé d'être en elle depuis, parce qu'il lui a donné ces vers, "Corps, souviens-toi...", à un moment où c'était de cela qu'elle avait le plus besoin, le souvenir de la jouissance du corps, l'impérieuse nécessité de se rappeler que nous sommes cela, oui, le plaisir face aux barbares, la volupté et le combat, elle est pleine de cette nuit et comme lui à cet instant, nue face à l'immensité. Ils s'aiment. Ils ne se voient pas, ne sont pas au même endroit, regardent simplement tous les deux la même mer, cette Méditerranée de sang et de joie où sont nés des mondes sans pareils, et ils s'aiment. Peu importe que leur histoire – à l'inverse des autres – ait débuté par les corps et se construise à rebours, dans l'absence maintenant, elle le voit, elle sait qu'il a en lui la même défaite qu'elle, celle du temps qui nous fait doucement plier, celle de la vigueur que l'on sent s'amenuiser et disparaître. Écoutez nos défaites. Il n'y a pas de tristesse, elle n'a rien perdu ni lui non plus. Il se penche, pose la statue du dieu nain dans le sol et la terre frémit de soulagement. Quelque chose lui est rendu. Elle sera là pour les siècles à venir, incongrue peut-être dans ce sol labouré par les glaives et peuplé de squelettes, mais il sait que c'est juste. Il sait que Job le regarde, qu'à l'autre bout de la mer Mariam est au milieu des stèles du cimetière marin de Sidi Bou Saïd, sur les terres de cet Empire qui ne fut pas parce que Rome l'a avalé, brûlé, fait disparaître, mais qui reste plus fort encore, tenant tout entier dans ce mot, "Carthage", qui contient tout, Carthage, glorieuse d'avoir vaincu l'oubli malgré les cendres, écoutez nos défaites, ils le disent ensemble, avec une sorte de douceur et de volupté, écoutez nos défaites, nous n'étions que des hommes, il ne saurait y avoir de victoire, le désir, juste, jusqu'à l'engloutissement, le désir et la douceur du vent chaud sur la peau.

Dans le chapitre VII, toutes les phrases d'Hailé Sélassié sont des citations tirées du discours qu'il prononça au siège de la Société des Nations, à Genève, le 30 juin 1936.

La citation de Cavafy est extraite du poème intitulé "Corps, souviens-toi…", publié aux éditions Gallimard dans la collection "Poésie/Gallimard" (*Poèmes*, traduction de Marguerite Yourcenar).

Les citations de Mahmoud Darwich sont extraites des poèmes "Éloge de l'ombre haute" et "Nous choisirons Sophocle", publiés aux éditions Actes Sud dans le recueil intitulé *Nous choisirons Sophocle* (traduction d'Elias Sanbar).

TABLE

DU MÊME AUTEUR

ROMANS

CRIS, Actes Sud, 2001 ; Babel n° 613 ; "Les Inépuisables", 2014.
LA MORT DU ROI TSONGOR (prix Goncourt des lycéens, prix des Libraires), Actes Sud, 2002 ; Babel n° 667.
LE SOLEIL DES SCORTA (prix Goncourt), Actes Sud, 2004 ; Babel n° 734.
ELDORADO, Actes Sud/Leméac, 2006 ; Babel n° 842.
LA PORTE DES ENFERS, Actes Sud/Leméac, 2008 ; Babel n° 1015.
OURAGAN, Actes Sud/Leméac, 2010 ; Babel n° 1124.
POUR SEUL CORTÈGE, Actes Sud/Leméac, 2012 ; Babel n° 1260.
DANSER LES OMBRES, Actes Sud/Leméac, 2015 ; Babel n° 1401.

THÉÂTRE

COMBATS DE POSSÉDÉS, Actes Sud-Papiers, 1999.
ONYSOS LE FURIEUX, Actes Sud-Papiers, 2000 ; Babel n° 1287.
PLUIE DE CENDRES, Actes Sud-Papiers, 2001.
CENDRES SUR LES MAINS, Actes Sud-Papiers, 2002.
LE TIGRE BLEU DE L'EUPHRATE, Actes Sud-Papiers, 2002 ; Babel n° 1287.
SALINA, Actes Sud-Papiers, 2003.
MÉDÉE KALI, Actes Sud-Papiers, 2003.
LES SACRIFIÉES, Actes Sud-Papiers, 2004.
SOFIA DOULEUR, Actes Sud-Papiers, 2008.
SODOME, MA DOUCE, Actes Sud-Papiers, 2009.
MILLE ORPHELINS suivi de *LES ENFANTS FLEUVE*, Actes Sud-Papiers, 2011.
CAILLASSES, Actes Sud-Papiers, 2012.
DARAL SHAGA suivi de *MAUDITS LES INNOCENTS*, Actes Sud-Papiers, 2014.
DANSE, MOROB, Actes Sud-Papiers, 2016.

RÉCITS

DANS LA NUIT MOZAMBIQUE, Actes Sud, 2007 ; Babel n° 902.
LES OLIVIERS DU NÉGUS, Actes Sud/Leméac, 2011 ; Babel n° 1154.

LITTÉRATURE JEUNESSE (ALBUM)

LA TRIBU DE MALGOUMI, Actes Sud Junior, 2008.

BEAU LIVRE

JE SUIS LE CHIEN PITIÉ (photographies d'Oan Kim), Actes Sud, 2009.

OUVRAGE RÉALISÉ
PAR L'ATELIER GRAPHIQUE ACTES SUD
ACHEVÉ D'IMPRIMER

DATE DUE